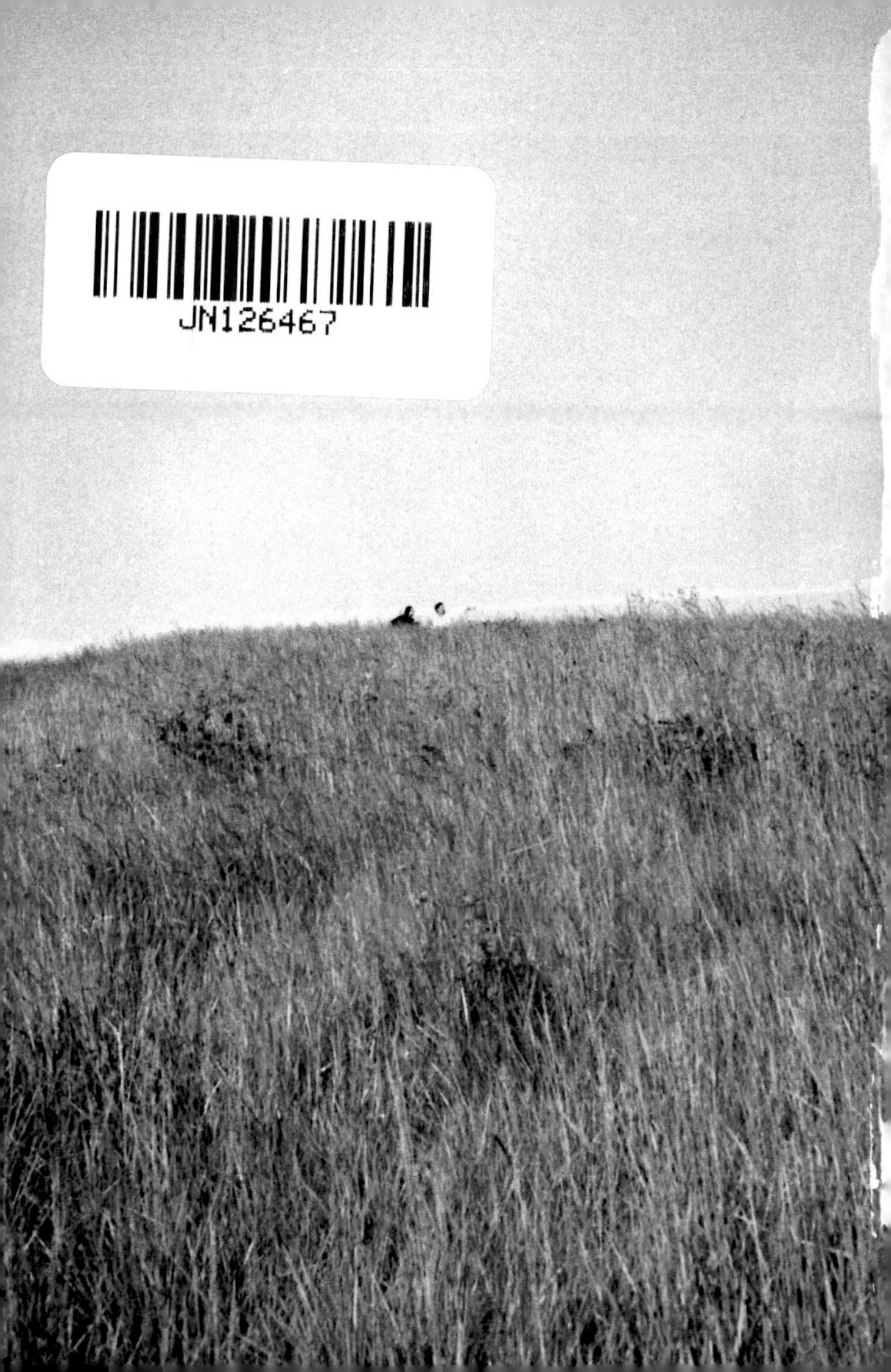

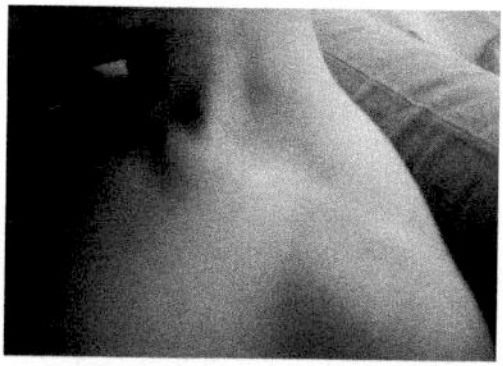

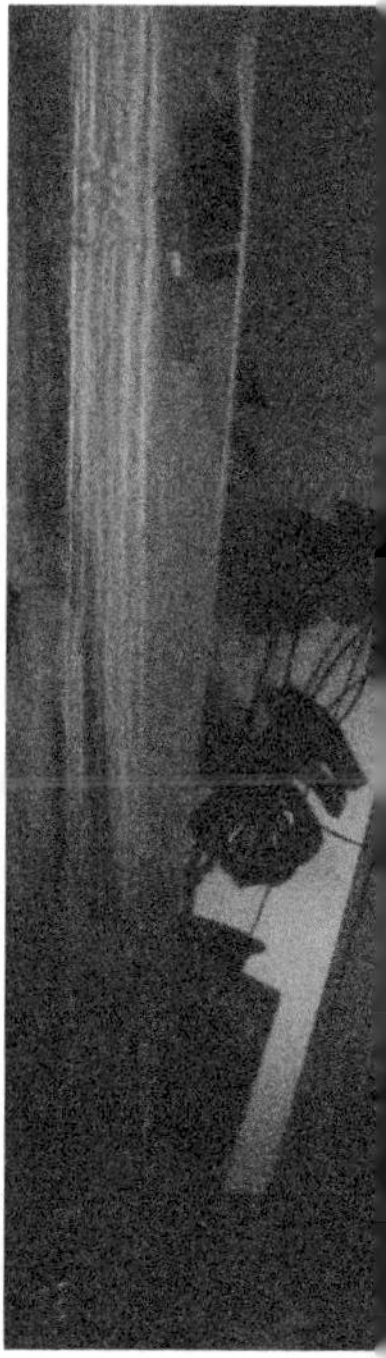

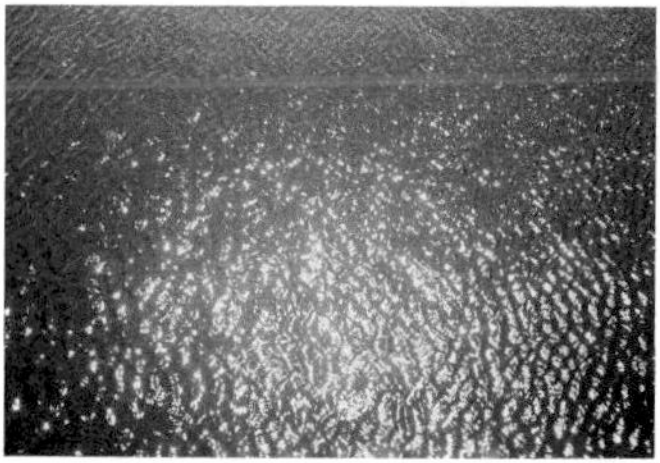

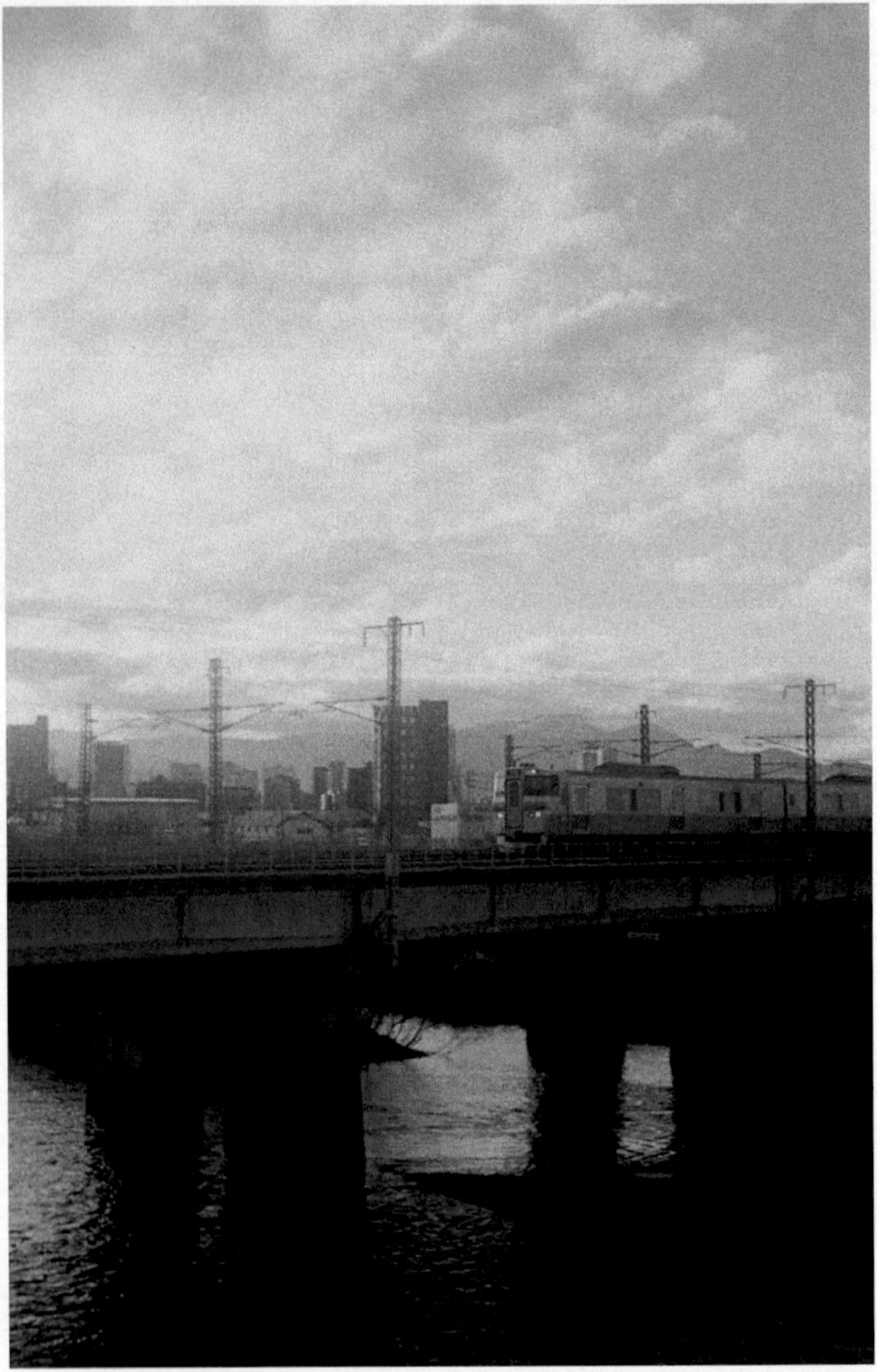

USO

うそ

はじめに

あなたがついた嘘は、誰かを傷つけましたか。
あなたがついた嘘は、あなた自身を傷つけましたか。

私は嘘をついて生きてきました。
だから嘘をつくのは得意です。
友だちにも、
仕事仲間にも、
恋人にも、
私はいくらでも嘘をつきます。
平気な顔で、

口からでまかせ、
四六時中、
嘘八百です。

嘘の奥には、本当の顔が眠っています。

あなたが嘘をつく理由はなんですか。
本当の姿を見られるのは怖いですか。

あなたが抱えている、
哀しくて、
みっともなくて、
可笑しな嘘を
ひとつだけ教えてくれませんか。

はじめに 18

『ほんと』 上田 龍 1

『所信表明』 野口理恵 23

『迷子 三つの詩』 エレナ・トゥタッチコワ 41

『嘘と勇気』 矢代真也 49

『寝取られの報い』 年吉聡太 57

『嘘つき』 岡藤真依 67

『さよなら、ジーザス』 武田 俊 81
『グッド・モーニング』 佐々木充彦 103
『嘘』 新見 直 111
『sunflower』 安永知澄 139
『わたしは嘘をついたことが一度もない。』 北尾修一 149
あとがき 167
寄稿者一覧 172

所信表明

野口理恵

二〇一八年十月。兄が自宅で首を吊って亡くなった。秋の風が心地よい、よく晴れた日曜日の朝だった。こんなに美しい日に、兄はどんな気持ちで死を選んだのだろう。遺書はなかった。だから兄の気持ちはわからない。前の日の夜は眠れたのか、どんな気持ちで首にロープをかけたのか。兄を亡くし、私はいよいよひとりになってしまった。眩しい朝の日差しは、希望をもたらすものではないのか。

私が育った家庭環境は、お世辞にもよいものとは言えない。だからいつも説明が面倒で、周りに話を合わせて嘘ばかりついてきた。でも、ひとりになり、もういいかなと思った。いままで適当なことばかり言ってごめんなさい。はじめましての人も、そうでない人も、私という人間を少しだけ知ってもらえると嬉しい。

一　母のこと

私が物心ついたころから、野口家はめちゃくちゃで最悪だった。父は毎晩ひどく酔って帰ってきては怒鳴り散らし、その姿を見て母はいつもヒステリーを起こしていた。群馬生まれの母は、独身時代は熊谷の八木橋デパートでカネボウの美容部員をしていて、服装やメイクがとにかくど派手だったらしい。東京が好きでよく遊びに行っていたそうだ。そんな母が、熊谷市のはずれにある、前も後ろも右も左も田んぼの土地に嫁に来たのが、そもそも間違いだった。

見渡す限りの田んぼの中で、母は病んだ。友人もいない、頼れる両親もいない。母には父しかいなかった。母は父を異常なほど愛していて、父はそこから逃げるように外に女をつくった。仕事と嘘をついてその女と海外旅行にも行っていた。

私は罵り合う両親が当たり前だと思っていたから、友人の親を見ても「この人たちも毎晩喧嘩するのかな」と密かに思っていて、そうではない家族もあると大人になってから知った。家族とは、すべての感情をさらけ出し、罵り合い、傷つけ合うもので、子どもという存在、結婚という言葉が、憎しみ合うふたりを結びつけるものだと思っていた。

少なくともそこには健全な夫婦の姿はなく、いびつで、歪んだ愛情だけが母を生かしていた。

六月のある日、いつものように両親が激しい喧嘩をはじめた。私は「またか」と食卓からその様子を見ていた。母の罵倒にカッとなった父は、母に向かってピアノの椅子を投げた。母はなんとか避けたから怪我はなかったが、当たっていたら大怪我をしていただろう。

翌日、母は、兄と私の三人でよく行っていたスキー場の駐車場で、車に排気ガスを取り込んで自殺をした。私は十五歳だった。この日の出来事はすべて、会話もすべて、はっきりと覚えている。警察からの電話の声も、母の遺体の乾いた舌も、なにもかもが私の心にこびりついてしまった。

母は鬱だったようだ。いま思えば、リビングに大量の薬が置いてあった。

高校受験を控えていた私は毎日学校で必要以上に明るく笑い、夜、自宅のベッドで泣いていた。私がいるのに母は死を選んだ。私という存在は母の生きる理由にはならなかった。母に愛されていると疑わなかった私は、突然、愛情という線をぶつんと切られたような気がして、どこにも繋がらずにぷかぷか飛んで、あてもなくさまよう風船のようだった。いまにもパンと破裂しそうで、危なっかしくて、私は当時をよく生き延びて、いまこうして大人になれたなとつくづく思う。

母の車のダッシュボードには、一九九三年に発売されて話題になっていた『完全自殺マニュアル』が入っていた。排気ガスのせいなのか、一度水につけた紙みたいにベコベコだった。普段、図書館で本を借りていた母だったが、この本は自分で購入したようだ。母は、そこに書かれてある通り、車の窓に目貼りをして、排気口にホースをつけて窓から排ガスを車中に取り込んで死んだ。遺書にはワープロで、父のこと、私の将来のことなど、いろいろなことが書かれていた。最後に「さようなら」と手書きの文字が添えてあった。文字が滲んでいた。母は泣いていたのかもしれない。

私はこの本を恨んではいない。なぜなら、この本がなくても母は死を選んでいたと思うから。悪いのは、母を支えられなかった私を含めた家族のせいだ。

そして私は改めて、本、というものを認識した。母が最後に読んだ本。私の人生を変えた本。本はどうやってできるんだろう。誰がどんな意志で作ったんだろう。そうして私は、太田出版という会社を知った。

二　父のこと

私は父と一度だけ手を繋いだことがある。小学校の学校行事の帰り道の、ただ一度だけだ。父は、私が赤ん坊のときも「誰が抱いたって同じだ、わかりゃしない」と言って、私を抱きたがらなかったと生前の母が言っていた。だから私も父には寄り付かないし、母が亡くなってからは「父のせいで母が死んだ」と思っていたから、より一層、父を憎んだ。

いま思えば、父はひどく心の弱い人だったようだ。嫌なことからは逃げる。嫌なことがあったらお酒を浴びるように飲む。家に居場所がないから、外の居心地のいい場所に逃げる。

母の死後、父は長く勤めていた会社を辞めた。以前から関係のあったスナックの女の紹介で小料理屋をはじめ、母の生命保険でベンツとロレックスを買った。朝方に帰ってきては、昼間に大量の酒を飲み、夜に出かける。そして母が亡くなって三年後、父は倒れた。

病室の痩せこけた父を見て私は泣いた。私が父を三年間責め続けたせいなのか。父は父なりに母の死が堪えていたらしい。当時、妻に自殺された男の心情が想像できるほど、私は大人ではなかった。

そして父は肝硬変で死んだ。私は十九歳、大学一年のときだった。東京で暮らしていた私に、早朝、兄から電話があった。兄は「朝、四時、死亡」とだけいうと、電話を切った。

酷い父親だったのは間違いない。でも、私は顔も中身も父によく似ているように思う。もし父がいまも生きていたら、仲良くなれたかもしれない。「大変だったな」とか言って、一緒に楽しくお酒を飲んでいたかもしれない。残念で仕方ない。

三　大人になること

両親が亡くなると、伯父が私たち兄妹のお金の管理をするようになった。この伯父は、父の葬儀のとき、私と兄を参列者の前に立たせ「この子たちは両親のいない可哀相な子です。私たち大人が支えていきましょう」という最高に胸くそ悪い演説をした。私はこの伯父が嫌いで、一刻も早くこの伯父と縁を切りたいと思っていた。私は就職し、自活できるようになった社会人一年目の夏、「あなたとは縁を切らせてください」と言いに熊谷に行った。伯父は面食らっていたが「わかった」と言って連絡を絶った。

社会人三年目のとき、たまたま太田出版の中途採用があることを知った。中学のときに見た、あの本の会社を一度見てみたいと思った。私は応募をし、面接をし、するすると入社が決まった。入社して、『完全自殺マニュアル』を担当していた落合美砂という編集者を間近に見ることになった。彼女は五十歳前で、酒にだらしなく、普段はとことんルーズで、女っぽくて、面倒くさい、下品極まりない女だった。でも、それでも、いつも仕事になるとハイヒールを履き、背筋がピンと伸びている姿を見ていると、私はいつしか彼女のことが好きになっていた。彼女みたいになりたいと本気で思っていたし、いまもそう思っている。「太田出版」というブランドの本が好きだったし、なにより居心地が良かった。

私は太田出版で知り合ったライターと結婚をし、会社を辞めた。出産をし、母になり、そして離婚をして、再び、ひとりになった。

別れた夫が育った家庭は、絵に描いたような幸せな家庭で、結婚していたころは、家族全員で新年を祝い、母の日には花を贈り、家族全員で墓参りにも行っていた。私にはこの家族行事というものが、どれもはじめてのことばかりで、いつもぎこちなく過ごしていたが、ひとつひとつ普通の家族の儀式をこなしていけば、普通の家族をつくることができるのだと思っていた。

別居する直前、夏の暑い日に墓参りに行った。高台の見晴らしのいい、美しい緑の中にある墓地で、義父に「理恵さんもこの墓に入るんだよ」と言われたとき、私は、自分の人生の終わりを見せられた気がしてぞっとした。私はここで人生が終わるのか。いや、違う。申し訳ないが、この墓には入りたくない。

結婚をしてからの私はいつも怒っていた。ヒステリックに夫を罵る姿は、私の母そのものだった。どんどん母のようになっていく自分が嫌でしかたなかった。母が囚われていた田舎の塀と、私がいる場所が同じだと気づいたとき、ここにいてはいけない、と家を出た。

子どもの親権は別れた夫がもっている。私は両親がいないから後ろ盾もない。こんな歪んだ女に育てられるより、立派な親をもつ夫に育てられたほうが子どもは幸せだろう。私は母と違って死ぬわけではないからいつでも会える。でも、子どもの心を傷つけることにもなる。全部わかっている。でも、きっと誰にも理解はされない。非難されても仕方ない。でも、この選択しか、私にはできなかった。

四　兄のこと

兄の訃報は突然だった。普段疎遠な伯母から着信があったのをみたとき、九十六歳になる祖母が亡くなったのだと思った。折り返すと、伯母は早口で言った。

「理恵ちゃん、おばあちゃんが亡くなったん。で、将ちゃんも亡くなったんよ」

「おばあちゃんが亡くなったから将ちゃんに電話したんだけど、出なくて、家に行っても出ないからおかしいと思って窓から入ったら、階段で首を吊ってたん」

祖母の死亡時刻は八時五十五分。兄は推定九時。ふたりは同じ日のほぼ同時刻に亡くなった。

二十三年前、母が亡くなったとき、父も私も自分のことで頭がいっぱいだった。兄は感情を表に出さない人で、「お兄ちゃんなんだから」といつも抑圧されてきた。母の死でいちばん深い闇を抱えたのは兄だったことに私は気づいていなかったのだ。

母が亡くなった当時、兄は大学受験を控えていた。母が亡くなって数カ月経った高三の二学期、父のもとに高校から電話があった。兄が学校にずっと来ていないというのだ。兄はたしかに毎日制服を着て、学校に行っていたはずだった。ところが、実際は一日中公園にいたり、自宅に帰ってきていたという。兄の心はボロボロで、自分の進路も、人生も、生きる意味も、わからなくなってしまったようだった。兄は合格した大学にも行かず、引きこもるようになった。

両親が亡くなり、私は東京の大学に行き就職をしたため、兄は熊谷の実家でひとりで暮らしていた。それでも兄は完全な引きこもりというわけではなく、定職にはつかなかったが、たまにアルバイトをして、近所に住む祖母の面倒を見ながら暮らしていた。いつも飄々としていて、「お米いるー?」なんていう軽いメールのやり取りをしていた。祖母は兄を溺愛していたから、祖母と兄はとてもよい関係だったのだと思う。もしかしたら両親を亡くした兄には祖母がすべてだったのかもしれない。

そんな祖母が、高齢で身体を壊して余命いくばくかとなり、亡くなる五日前に親族が病室に呼ばれていたらしい。兄はそこにも行っていて、黙って祖母を見ていたという。

そして、奇しくも祖母の死去とほぼ同時刻に、家族の思い出が詰まった家の階段で首を吊った。死亡推定時刻から考えて、兄は祖母の死を知らなかったはずだ。

兄と祖母の葬儀は質素だった。ふたり同時の葬儀は異例で、世間体を考えて人を呼ばなかったのだ。

葬儀で、私は子どもみたいに大声で泣いた。みんなの前で、恥ずかしげもなく、泣き喚いて、棺の前で泣き崩れた。この世で兄を想って泣けるのは私しかいないと思ったからだ。社会と向き合わず、友人もいなかった兄が、私のたったひとりの家族である兄が、たしかに生きた証を、誰かに愛されていたのだということを、ひとりでも多くの人に知って欲しかった。

兄が抱えていた哀しみはわからない。私は兄の生きる理由にもなれなかった。母だけでなく、兄の心にも寄り添えなかった。家族とはなんだろう。すべてをわかり合える存在ではないのか。心の拠り所ではないのか。心を通じ合わせ、助け合い、すべてを許し合うものではないのか。私には家族というものがわからない。

『完全自殺マニュアル』は、たしかに私を変えた。私の太田出版へのこだわりは、母から受けた呪縛だった。兄が自殺をし、再びこの本が私の目の前に突きつけられた。そして太田出版を再び離れることになると、この二十三年間で私に起きたことすべてが、ふっと消えていくような気がした。あまりにもいろいろなことが起こりすぎて、すべてがバカらしく思えてきたというのもある。

「野口さんの実家ってどうなの？」、「うちは適当だから。私に関心ないんだよね」みたいな嘘をつくのも、もういいのかなと思えてきた。

私はどうして嘘をついてきたのだろう。何から身を守ってきたのだろう。私の人生はもう書き換えようがない。恥ずべきことは何もしていない。母と兄が自殺して、父も死んだ。離婚をし、子どもの親権を手放してひとりになった。それが、いまの私で間違いないのだ。

五　おわりに

眩しい朝の光の中で、兄が最後に見た希望は家族だったのかもしれない。大昔の日曜日、家族みんなで森林公園に行ったことがある。日曜日の朝に死を選んだ兄は、両親に会えただろうか。

兄の本当の気持ちはわからない。死んで両親に会えるわけがない。こんな妄想は私自身を慰める嘘だとわかっている。でも、これは私がこれから強く生きていくために必要な嘘なのだ。

＊

兄が最後に見た景色は、私たち兄妹が生まれ育った実家の階段だった。

階段の下から夕飯ができたと呼ぶ母の声が聞こえる。兄妹は二階の部屋から「はーい」と返事をして、階段をバタバタと降りてくる。庭ではダルメシアンという大型犬を三頭飼っていて、父の車のエンジン音が聞こえると大きな鳴き声で父の帰りを教えてくれた。母はガーデニングが趣味で庭はいつでも美しかった。

私には家族がいた。いつも家族はバラバラだったけど、そういう家族みたいな時間もたしかにあったのだ。家族とはなんなのだろう。私にはわからない。でも、みんなに会いたいと思う。

お母さんに会いたい。お父さんに会いたい。お兄ちゃんに会いたい。さみしくてさみしくて、さみしくてさみしくて、本当はもう耐えられそうにない。手を握って欲しい。抱きしめて欲しい。名前を呼んで欲しい。声が聞きたい。四人で顔を見合わせて笑ってみたい。平凡でいいから、普通でいいから、あの家でもう一度、家族を。

私が欲しかったのは、自分が失った家族だった。自分で家族を築いても、それはあの家族ではなかった。父がいて、母がいて、兄がいた、あの家族への想いが、いま私を生かしている。

私の人生を聞いて、どう思うだろう。可哀想に思うだろうか。別に哀れんで欲しいわけではない。遅かれ早かれ人は死ぬのだし、私にはそのピークが少し早く来ただけだと思っている。私はもうすぐ三十八歳になる。莫大な土地を相続し、親の介護の心配もない。あとの人生は気楽なものだ。それでも、ときどき、朝日が眩しすぎて、前が見えなくなって、困る。でも私はまだ大丈夫だ。自分の足で立って生きていくのは、なんて清々しいのだろう。

迷子　三つの詩

エレナ・トゥタッチコワ

眩しく真っ白なてっぺんが
大空に輝く大きな高い山を
この眼は知らない
緑の声でくるむ森の
奥底が深く
たっぷりの水にひたって
黒い土肌の割れ目を隠す
そんな山は
頂上を持たないのだと
知った日に

雨が降って（しばらくは
その音が聞こえる
気がしていたんだよね）
道の先が見えなくなった
ふと周りを見渡すと
わたしは迷子になっていた
どこから山が始まり
どこからわたしだったのか
歩いていくわたしの背を
山の陰が撫でる

あなたは最後に
いつ子どもの自分になった
夢を見たのだろう

足裏で地面を踏み
血まみれの膝から
石を取り出し
アリの穴を掘る
家前の砂だらけの
アスファルトの道が
太陽の下で輝く

わたしの肌は蛇の肌
無数の新月と一緒に
何度も落としてきた
わたしの毛は狼の毛
見てきた月の光を
全て溜め込んだ
わたしの足裏は
石、木、草むらが潜む
跡も残さないで

白い音をさせて
川は上に向かって流れる
川底を足裏で探り
わたしは山を登っていく
前を進むには
逆流を歩かなければならない
季節である

あなたは最後に
いつ迷子になったか
霧の中の風景が出現しては
また消える
過去に見たことがあるだろう
草原に立つ一本の木
そして道
そのさきに川

あなたという
風景を無くし
わたしは迷子になったのだろうか

歩くことを繰り返すことでしか
前へ進めない場所
リズムを探し
地面を踏む
決断を新たにして

嘘と勇気

矢代真也

中学受験で塾に通っていたころ、面白いお話しで人気がある日本史の先生がいた。関ヶ原の戦いについて、熱くしゃべりつづけるタイプの人だった。鎌倉仏教についての授業で、彼はあるエピソードを教えてくれた。いわく、「踊り念仏で知られる時宗の創始者、一遍は死ぬ直前に自分が語ってきた教義は全て嘘だったと告げ、自らが書いた教典を焼き捨てた。一遍というお坊さんは、とんでもないペテン師だった」。他の鎌倉仏教と時宗の違いを印象づける意図があったのかもしれないが、「そんなことある？」と子どもながらに思ったし、踊り念仏を信じてきた人たちはどんな気持ちだったのだろうと想像した記憶がある。

何年か前、『死してなお踊れ　一遍上人伝』という本が出た。著者である栗原康の『村に火をつけ、白痴になれ　伊藤野枝伝』は最高だったし、塾での思い出もあるので、発売がとても楽しみだった。本が到着して、頭から読みはじめる。後ろに近づくにつれ、自分の教えが嘘だったと告げるシーンが出てくるのが楽しみで、ドキドキする。しかし、経典を焼き捨てるくだりはあったものの、明確に「一遍の嘘」を描く場面は最後まで出てこなかった。そのとき「あの先生のお話は嘘だったのか」と思った。真偽が気になって他の文献に当たったわけでもないし、一遍という僧侶のアナーキーな思想からすると先生が少し盛ったのかもしれない。ただ、「嘘をついたという嘘」を聞かされていたのかもしれない、という不思議な感覚が読後感として残った。

六年前、最初に働いた会社で「楽をするために嘘をつくと、その嘘を成立させるための別の嘘を考えないといけなくなるから、結局大変だ」と教わった。「正直に何でも人に話したほうが、結果的にうまくいく」ということだ。仕事のミスを隠すようなこざかしい言い訳を重ねるたびに、この教えがたたき込まれた。「プライドが高いお前は、自分を守るために嘘をついている」と、何度も糾弾されたわけだ。〈一〉できないと思ったら、正直にできないと言う。〈仕事のイロハのイだ〉〈二〉もらった原稿が面白くなかったら、面白くないと感じたと述べる。〈相手のモチベーションを下げないで、ダメ出しをするのは難しいが、それが編集者の仕事だ〉〈三〉自分の欲望を表明し、他人を動かす。〈リーダーとしてチームをつくるためには、不可欠な心構えだ〉e.t.c.……。

自分のなかで自分は、いつのまにか、この教えをうまく自分のものにしたと思い込むほかはなかった。正直過ぎて失礼でも上等。そこは、キャラクターでカバーしよう。嘘から自分を遠ざけることこそが、プロフェッショナルの道だ。嘘をついた方が楽なときこそ、正直にすべてをさらけ出すことで、いい仕事をこなすのだ……。だから、最近ついた嘘を思い出せといわれても、何も記憶にない。自分が発した言葉はすべて嘘ではないと信じることが、自分を守る唯一の方法だったのかもしれない。

冒頭であげた日本史の授業を思いだしながら、一遍の嘘について考えてしまった。

「口から出まかせの教義を述べた結果、多くの人がそれによって救われてしまった。どうしよう。自分がついた嘘を、嘘でないと言いつづけることが、最も多くの人を救うことになるのではないか」。歴史的通説では、経典を焼いた理由は自らを権威とした教団の成立を嫌ったからだとされている。ただ嘘が嘘とわかっていても、それを守りつづける勇気が一遍にはあったのだと、僕は思いたい。他人のための嘘というものが、もし存在するとすれば、それを支えるのは、嘘を守りつづける勇気だろう。

ここまで考えていて「正直に何でも人に話したほうが、結果的にうまくいく」という一社目での教えも嘘なのかもしれないと思った。世の中は、そんなにシンプルではない。「必要な嘘」はもちろん存在する。それはもちろん、目的をもって、他人のためにつく嘘。一遍と同じように勇気がなければ、それをつく資格はない。その意味では、「いつでも正直であれ」という教えは、プライドが高い自分を脱皮させてくれるために、社長がついてくれた「嘘をつくなという嘘」だったのではないか。

ようやく、六年前から頭にへばりついていたヘドロのようなものが消えたような気がした。嘘をつくなという教えは嘘だった。守り続ける勇気があるなら、嘘をついてもいい。そんな当たり前のことが自分のなかで腑に落ちて、ようやく自由に人とコミュニケーションがとれる気がした。自分に足りない勇気を何とか育みながら、いつか他人のために嘘をつけるような人間になりたい。

寝取られの報い

年吉聡太

　ものまねが上手なやつは信頼できる、と先輩の編集者がよく言っていた。ものまねのウマヘタって、目の前の人間の細かな仕草にちゃんと気づけるか、それをちゃんと再現できるかってことだからさ。優れた観察も記憶も相手への興味がないと生まれないし、相手への興味がない人間のことなんて信頼できないよな。

「だからものまねの練習しておけよ、トシヨシ」。その言葉を真に受けた二十歳そこそこの僕は、必死になって他人の顔や振る舞いに目をこらし、下手なものまねを繰り返しては調子に乗るなと怒られた。観察熱心極まって、もらった名刺にはいつも持ち主の似顔絵を描くようになった。人に会う機会だけは多い仕事なので思いのほか便利な索引として役に立っていたほどだ。

　それなのに、いまの僕は、相手の顔をろくに覚えることすらできない。それはおそらく、十二年前のある日の喫茶店での出来事から始まっている。

別居をしたいと家を出た妻から電話があったのは、その前日のことだった。行き先さえ言わずに姿を消した日からちょうど一年ぶりに聞く声は、少しだけ申し訳なさそうに「もう帰らないから」と告げてきた。

尋ねたいことも話し合うべきこともたくさんあった。いまどこで寝泊まりしているのか、仕事は続けているのか。そして、これから二人の関係をどうするのか。しかし、電話の向こうの彼女は別居を切り出した一年前と同じように一方的だった。淡々とした報告に終始して、電話は切れた。

電話中、僕は何も切り出せずにいた。彼女の言葉が右から左に流れていくだけだった。けれど、ただひとつだけ、「占い師に視てもらったのだけれど」と言われたことは覚えている。「私の前世は中国の宮廷に侍っていた恋多き女官で、常に幸せを追い求めていたの」。へえ、そうなんだ。「いま一緒にいる彼との間には、子どもも授かりました。これって前世の報い、なのかもしれないね」。

嘘だろ、おい、と思った。〈報い〉の使い方を間違っているんじゃないか、とか、〈報い〉のあとの間の置き方が芝居じみていてそんなしゃべり方をする人だったっけ、とか思いもした。そもそも別居中にほかの男と子どもって、と言いかけて、代わりになぜか、離婚届を出す前に一度、相手の男と話をさせてほしいと伝えた。それで何がどうなるわけでもないというのに。

翌日の会談の場所に選んだのは、新宿三丁目の喫茶店だった。席数こそ少ないけれど、柱という柱が鏡張りになっているから狭いわりには開放感がある。静かで清潔で打ち合わせするのにちょうどいい店だったが、その日は少し離れたテーブルで若い男がもっと若い男を相手に勧誘に励んでいて、勝利者になろうとかなんとか語りかけているのがうるさかった。

間男は、時間に少し遅れてやってきた。こんなことを言えた義理はないんですが、と席に着くなり頭を下げて言う。「彼女のことも子どものことも、一生かけて幸せにしていくんで」。頭を下げたままでしゃべり続ける。「おれ、劇団で演出をやっているんです。でも、子どもも生まれてくるし、ちゃんと就職しなきゃって思っていますし」。

そのとき僕は激高すればよかったのかもしれない。泣いて取り乱せばよかったのかもしれない。この劇団員め、妻が電話でやってみせた間の取り方はお前の影響かとわめき散らせば、相変わらずうるさく勧誘し続けるマルチ男も静かになってせいせいしただろう。でも、実際の僕はその間ずっと、自分の顔を鏡に写して見ているだけだった。気にするべきは、自分が外向きの顔をちゃんとつくれているかどうかだけだ。大丈夫、取り乱していない。口角を上げた顔で確認して、しゃべりだす。いやいや頑張ってくださいよ。夢を諦める必要なんてないですよ。子どもができたって、自分のやりたいことを貫くことが大事だと思いますし。うんぬんかんぬん。

店を出るとき、二人分のコーヒー代を僕が払ったのを覚えている。自分の発した余計なお世話な言葉も一つひとつちゃんと記憶していて、そのあとしばらく経っても飲み会で披露して、慰められたり呆れられたりした。

不思議と、男の顔は、店を出てすぐに忘れてしまっていた。自分の人生に深い爪痕を残すことになった間男だというのに。

このときから、愛想笑いをしてさえいればどんな場でも乗り切れると思い込むようになった。鏡のなかで笑う自分の顔が思慮深い大人のそれだと確認できて、やっと安心をする。

このときから、向き合う人に嘘をついてきた。自分が情けのない寝取られ男だという事実を隠すために始めた薄笑いは、そのまま顔にはりついた。

口角を上げて愛想笑いしていれば、相手の顔を見ずに生きていける。周りの空気に溶け込むように、誰の記憶にも残らないように。代わりに、周りの悪意に晒されず、誰の記憶も残さずにすむように。

人間は二つ以上の顔をもつとよくいわれるけれど、それから十二年が経ったいま、一緒に暮らし始めた女性に指摘されるまで、自分に愛想笑い以外の顔があると気づきもしなかった。同じ現場で始終顔を見合わせていた彼女は、唐突に、あなたって本当はそんなに緩んだ顔してるのね、と言った。「いつもの薄ら笑いよりも、そっちのほうがいいんじゃない」。

鏡の前にいざ立つと、あの日の自分の顔そのままに愛想笑いが浮かんでいる。その口角を、下げてみる。笑顔をなくした自分の顔は、年相応にくすんだ中年男のそれだ。けれど、そっちのほうがいいんじゃないと言ってくれる人がいるならいい、と思った。相変わらず人の顔は覚えていられないけれど、たぶんそれは、ただ年をとったからだろう。

ちなみに、その女性は、僕が頼むといろんなものまねをやってくれる。なかでもお風呂の垢を舐めとる妖怪、あかなめのものまねをするのが本当に上手で、彼女が興味をもって再現しようとする対象はもはや人間ですらなくて、この人と知り合えて本当によかった、と思う。

嘘つき

岡藤真依

P20のセックスシーンなんですけどねもうちょっとこう…なんと言うか滴るようなセックスって言うんですか?
滴るような…ですか
かつてない絶頂感を表現して頂ければ最高です!
いっしょにイこ!
あん♡
いやっ
かつてない…

あん
あん
ああーん
あ〜あん
こんなにあんあん言うかぁ?
だし出したり入れたり高速過ぎて痛いって
あ〜
あん
あん
女は布団の上ですべからく演技をすると思う
あれは八年前
やっぱり映画史においてヌーヴェルヴァーグは外せないと思うんだヌーヴェルヴァーグの語源って知ってる?一九五七年にフランスの週刊誌「レクスプレス」が新しい波が来るっていうキャッチコピーを掲げたことが起源つまりヌーヴェルヴァーグとは「新しい波」ってことなんだ
うわーウィキペディアみたいすごいね

プチ
あ 自分で 脱ぐ…
するする
驚かないでほしいんだけど
俺… 凄く ほんと凄い 毛深いから

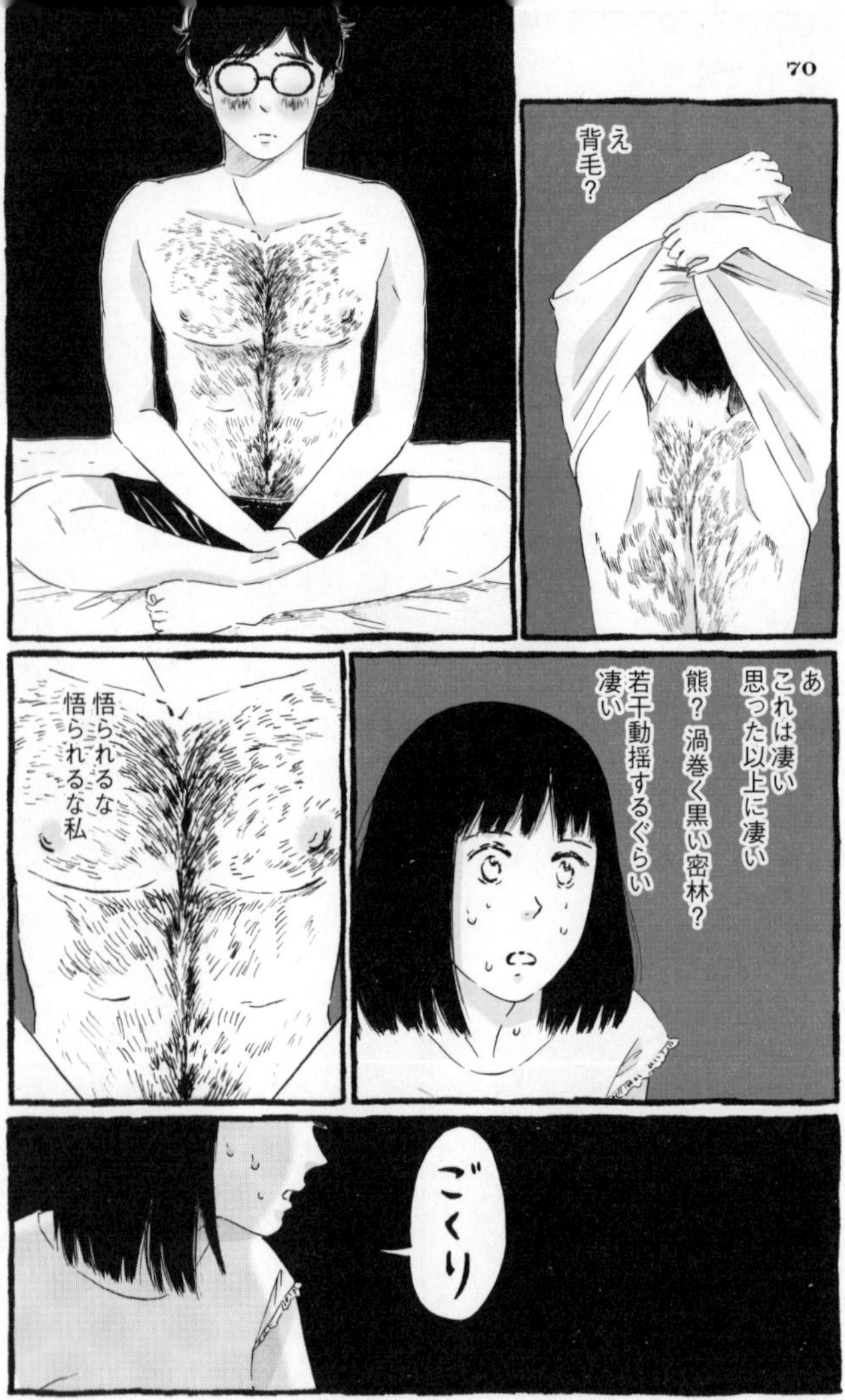
え
背毛?
あ
これは凄い
思った以上に凄い
熊? 渦巻く黒い密林?
若干動揺するぐらい
凄い
悟られるな
悟られるな私
ごくり

えー
思ってたより
全然普通だよ！
普通普通普通！
そ
そう…？
実際
彼の体毛は
石鹸で泡立つほど
すごかったが
泡立つ様は
楽しかったし
昼間と同じように
よく喋るセックスで
それも楽しかった
彼とは結局
一カ月で別れた
というか
私がふられた
あれは
五年前

参った
参った！
これが
絞め技
さすが
元柔道部
がっちり
締められたー
手の
大きさも
全然違うね
驚かんで
欲しいん
やけど…
俺のちんぽこ
凄くちっさい
から…

ごくり
えっ？普通じゃない？こんなもんだよ
ほんまに？て言うか誰と比べてんの…？
実際 彼のものはポークビッツだったけどそのさまは可愛らしかったしそれなりに膨らむし私とのサイズ感は抜群だったし問題などなかった
キュポ
カポッ
彼とは付き合う付き合わないを繰り返して一年半で音信不通になった
カポ
キュポ
あれは三年前

バカヤロウー大蔵省はもう無い！今は財務省！
それにイギリスは島国！
ほんとお前はお馬鹿だな！
お願いがあるんだけどいく時お姉ちゃんて呼んでいい？
え？お　お姉ちゃん？ううん　いいよ
ガクガクガクッ
ああっ　お姉ちゃんいいい
お姉ちゃんいい？お姉ちゃんいくよ　いくよ　いっていい？
いいよ
うっ
ごめん…変態で…

ごくり
ううん
変態じゃないよ
よくある
趣味じゃない!?
彼には姉はいなかった
それに叶姉妹では
美香さんの方が好みだと
言っていた
なぜお姉ちゃんが好きなのか
私にはわからなかったけど
私は弟が欲しかったから
問題は無かった
お蝶夫人
彼とは二股
かけられて別れた
と言うかもともと
向こうにとって
私は恋人では
なかったのかも知れない
結局
毛深ろうが
ちっさかろうが
変態だろうが
そんなことどうでも
良かった
そんなこと全然
気にならないぐらい
夢中で好きだった
愛だな

ついでに白状すると
私はセックスで
いったことが無い
オーガズムに
達したことが
今の今まで無い
オナニーだったら
いけるんだけどな
いった？
いった
ちゃんと
いった？
いった
何回
いった？
五回

私
相当な嘘つき
だなぁ～
私のこと
好き？
うん
好きだよ
本当に
好き？
好きやで
結婚しような
まあ
向こうも向こうで
嘘つきだし
目くそ鼻くそだわ

いやあああん
いくーー
気持ち良さそう
こんなに気持ち良いのならその快楽を私はまだ知らない
ヴーン
ヴヴ
それを今から知れるのならば人生はまだまだ楽しい
ヴヴヴヴゥ…
ヴーン
ヴ
あー気持ちいい…

さよなら、ジーザス

武田 俊

うそは苦手だ。

そういうと、なんだか聖人君子を気取ってるみたいだけど、実際にはそうではなくって、多くの人と同じようにこれまでにいくつもうそをついて三十年ほど生きてきた。その上でうそが苦手だと記すのは、うそを鮮やかにつき通すための技術も覚悟も胆力もないからだ。

ぼくがつくのは、基本的に下らないうそだ。時間に遅刻した言い訳を体調のせいにするといった独善的な保身と、相手の注意や怒りをまぎらわすためだけの、短期的な効果しか発揮しないような仕方のないものだ。にもかかわらず、遅刻した会で誰よりもはしゃいだりするせいで、すぐにバレる。

一方で、うそがうまい友人がいる。同世代の色男で、独身。仕事もできれば容姿も端麗で、稼ぎもいい。なおかつハートフルないいやつである。そいつは当然、女にもモテる。けど、いやだからこそ、彼にはうそが必要になる。

ある時、友人同士の飲み会に、「いっしょに近くで飲んでいたから」という理由で予告なしに女の子を連れてきた。まわりの友人らは、彼女にどう接していいのかわからない。なんせモテる男である。ぼくらの知っている女の子との関わりあいのルールとは、また違うなにかが発生している可能性もあるだろう。

「なんだかんだ連れてくるのははじめてだよね。これ前から話してた彼女、よろしくな」

そう彼は着飾らない自然なトーンでいった。ぼくは「前から話してた彼女」というくだりから様々な世界線を予期して
「お前が彼女連れてくるなんて、これまでなかったよなあ。あ、はじめまして！」

と返した。

きっと彼はぼくらのことを古くからの友人だと言ってるのだろうし、そこに連れていくくらい君のことは大切なんだ、ってことをメタメッセージとして体現したいのだろう。それを察したあたり、我ながらなかなかいいアシストである。しかしなんだかやるせない。

ほどなくして、女の子だけが「先に帰るね。男同士、楽しんで！」と機嫌よさげに退店していった。彼はグラスに入ったビールを一息にあおって「いやあ、来たいって聞かなくてね。まいったまいった」と頭をかいていたが、すぐに真面目で魅力的な表情でぼくの目の中をのぞきこみ「なんだか、うその片棒担がせて悪かったな」といい、瓶からビールをついでくれた。まるで、ぼくの目に写った自分の表情が正しいかを確認するかのように、身体を近づけながら。

お前、そういうところだぞ、と思う。女についた嘘ついでに、友情を確認しあうだなんて下品だろ。でもそれを口に出して指摘するのは、それこそ男同士野暮だと思うから黙っている。小さな罪を共有して男同士でユナイトする、そういうホモソーシャルなやり方はもう俺たちよそうぜ、と思うが黙っている。

安居酒屋の座敷。その席を仕切るための、とってつけたような欄間の細工を眺めている。時間がたってしまったせいで、かすかすになって誰も箸をつけなかった砂肝をかじる。かたい。食べ物というより動物の死骸の一部という感じがする。つらい。それを噛みしめながら、いいやつなのになんでしょうもないうそをつくのだろうと思う。でも彼には覚悟と技術があるから、そのうそを突き通す。突き通したうそは、墓場まで持っていけば真実になる。真実になってしまえば、誰も傷つけることはない。みんなもガハガハ笑っている。不潔だなあと思う。

でも同時に、うそと方便と少しの真実で、この世界が成り立っていることを知っている。

中学三年生の時だった。

通っていたのは中高一貫制のカトリックの男子校で、そういった学校にはよくあることだけれど、校則は非常にゆるく、数年前の先輩たちの呼びかけにより制服は撤廃され、ぼくらは思い思いの格好で学校生活を送っていた。男だらけなのもあって、あるロッカーには共有のエロ資産を集合知的に格納して管理し自由に貸し借りしていたし、女子の目線もないから無駄なマウンティングなども発生せず、遊んでる系の連中もオタクも仲良く暮らしていた。

だからなのか、色んなヒーローがいた。近隣の女子校との合コンの成果をおもしろおかしく、しかし羨ましいエピソードもまじえてレポートしてくれるヤツ。同じ学校に通う兄貴から、定期テストの過去問をコピーして持ってきてくれるヤツ。そんな中、異形のヒーローとして一時話題を集めたのが、寺田だった。寺田は勉強が苦手で、おっとりとしてた雰囲気をまとった決して目立つタイプの学生ではなかったのだけど、みんなが彼に注目していたのは、信じられないくらいの巨根らしい、という噂からだった。

どういうきっかけだったか、彼のその持ちものが二十センチ以上あるかどうか、で突発的に賭けが行われることになった。教室に歓声が上がる。ルールは簡単で、彼のそれが臨戦体制時にどのくらいのサイズになるかを計測すべし、というもの。

「俺にメリットないんだけどなあ、しかたないなあ」

と巨大な草食動物を思わせるようなのんびりした口調で話しながら、寺田は三十センチ物差しを持って悠然とした歩調でトイレに向かっていった。その歩く姿が異様に男らしくてかっこよく、ぼくは妙に感動していた。彼が戻るのを待つ間の時間、もはや賭けはおまけになり変わった。必要なのは、実際にどうなのか、というファクトだけだった。本当に二十センチを越えてしまうんだろうか……。

オリンピックでスキージャンプの最終滑走前をテレビで見ているような気持ちだった。しばらくするとみんなのケータイが同時に震えだす。写メが送られてきたのだ。これをてんでんバラバラに見てしまっては、感動を損ねてしまい台なしだろう。そういうわけで当時の最新機種を導入したばかりの者のケータイを代表端末として、みんなで覗き込むことにした。

「うおおおおお！」と教室から雄叫びが巻き起こる。根元にしっかりと押し当てられた三十センチ定規と、寺田の寺田。結果は、らくらくの二十センチ越え。後々にまで語られることになった「寺田タワー事変」である。これ以降彼は、学年すべての生徒からリスペクトされることになった。当人は迷惑そうだったけれど。


そんな寺田から、中学最後の期末試験の時にある依頼をされた。ぼくらの学校は完全な中高一貫制で、高校から新たに入学してくる生徒はいない。そんなこともあって、原則的に中学受験をして入学した一学年二百名の生徒たちは、そのまま高校に上がり六年間をともにすることになる。それでも例外はあって、著しく成績が悪くそれが改善される見込みがないと数値的に判断されてしまった者は、高校に上がることができないのだ。もちろんそんな生徒は数少なく、毎年二百名全員が高校にエスカレーター式で入学していた。

「それがさあ、おれ成績悪くて高校上がるのやばそうなんだよ」

そういいながら、どういうわけかちょっとうれしそうな表情で彼が見せてくれた通知表には、二や三といった数字が並び、なかには一というものも少なくない。ふうん、と思うかもしれないが、これ十段階評価での数字である。

「うわ、これけっこうヤバくないか？」

「そうなんだよ、それでさ、テストの時ちょっと見せてくれないかなあ」

彼の提案した作戦はこうだった。期末試験時の座席はあいうえお順のため、ぼくはちょうど寺田の前の席になる。できたら、どの科目も見たい。だからテスト期間中はずっと眠いことにして、解答をし終えたら解答用紙が少し見えるような形を維持しながら、机に突っ伏して眠ってほしい。

彼が熱心に語るその作戦（というほどのものでもないけれど）を聞きながら、どこで分かれてしまったのか、とぼくは考えていた。寺田も中学受験時に同じ試験を受けて入学したわけで、いくらカリキュラムの進みが一般の学校より早いといっても、三年でこんなことになる理由がよくわからなかった。同時にゆるゆるの校則の中でも、唯一厳罰化されているのがカンニングだということも思い出した。

アメリカ人で神父でもあり、その気さくな人柄からみんなに愛されていた副校長のマイク先生は、ある日「チーティングは学園生活における、もっとも《ゆる》はしたない罪です」と胸に十字架を下げながら朝礼でいっていた。その講話が終わったあと、ぼくたちは毎朝の日課として主祷文を唱えた。

「天にまします我らの父よ、願わくは御名の尊まれんことを、御国の来らんことを。御旨の天に行われる如く、地にも行われんことを。われらの日用の糧を、今日もわれらに与え給え。われらが人に赦す如く、われらの罪を赦し給え。われらを試みに引き給わざれ、われらを悪より救い給え。アーメン」。

噂では、数年前に平和な学園にしてはめずらしくいがみあっていたチャラ男系集団と武闘派集団との抗争というか、大規模なケンカ騒動があった際に、マイク先生は「君たちは……ギャングなのか⁉」といって大泣きして悲しんだそうだが、その時ですら当事者たちの処分は停学ですんだという。もっとも怪我をした生徒の親が地元では名の知れた弁護士で、当初は係争も辞さないといった構えだったものが、学校側との対話を持ってして訴状を取り下げたという話もあり、そうなれば全員連帯責任として停学で済ませるという学校側の対応はベターなものだともいえよう。

いずれにしても「もっともはしたないチーティング」はさらに重い罪のため、一発退学だと多くの者が考えていた。ゆえに、わざわざそんなリスクを進んでとるヤツなどいなかったのである。

「でもでも、きっとだいじょうぶだよ〜。まじ頼む！」

ひょうひょうとした寺田の口調にほだされたのか、ぼくはいいよ、とうなづいてしまった。こんなに優しくておだやかでちんこのデカいやつのお願いを聞いてあげられないのは、男がすたると思った。問題を解いて寝ているだけだもの、問題ないだろうよ、と思った。

学校の古いタイプのセントラルヒーティングのような暖房は、昭和！　という感じの強い暖かさだったから、眠るのに苦労はしなかった。ああ、ぼくは眠いんだよ、なんせ七時から朝練もして普通に部活もやっていてるんだからね！　そう心の中で唱えながら解答用紙を机の右側に置いて、不自然じゃない程度に左側に上半身を預けるようにする。左の上腕に左の頬を押し当てると、廊下側の窓と天井が視界に入る。その天井に空いた無数の小さな穴を数えた。外気温との差で窓ガラスに付着した水滴を冬の強い日差しが突き抜けて、もやのような光が蠢いていて、微生物のようだった。命の乱反射。それを眺めたあと目を閉じた。実際に疲れていたから、すぐ眠りに落ちた。日本史をやっつけて、生物をやっつけて、国語をやっつけて、そう、寺田が書き写す時間をキープできるように、いつもよりもスピードを上げて解答していく時、ランナーズハイのような心地よさがあったような気がする。なあ、寺田、今日もお前のちんこは大きいのかい？　見つからないよう、うまくやれよな。

期末試験を片付けて寝ているだけなのに、ぼくは他人の役に立っている！　歪みながらも切実さを帯びた包摂のもたらすオーバードライブ。脳内で様々な興奮物質が生成されているのか、不思議な充足感につつまれていた。

期末試験も最終日になって、それで数学。一番の苦手科目でここが鬼門だった。ぼくはそもそも数理的な処理が苦手で、そのため問題をその場で解いていくというよりも、左脳をフルに活用して暗記した公式をむりやりいろんな場所に転用して、なんとか解答に持っていくという、文系型の数学必勝法を実践するスタンスをとっていた。そのため、単純な計算問題よりも解き方の余白の多い証明問題の方が得意なのだ。

通常より一年早いカリキュラムが採用されていたから、数Ⅰ・数Aの範囲の問題が採用される、ということはそれまでの授業の内容から知っていた。高校からは理系、国公立文系、そして私立文系にコースが分かれていく。ぼくたちの人生の進路は、来年高校に進んだら明確に分かれていく。つまり二百名全員が同じ試験を受けるのはこれが最後のことで、中学入学以降いっせいにフラットに並んでいたぼくらは、この試験を最後にばらばらになる。そのせいだろうか。この時の試験は私立文系特化型のぼくのような生徒のことをおもんぱかってか、証明問題の割合が比較的多かった。

希望を感じた。これなら苦手科目だとしても、平均点はクリアできるのではないか。サクサク解いて右側に起き、重心を左に預け眠る。これでやっと部活に集中できるなあ、今日の弁当はなんだろう、なんてことを考えていたら、あっというまに試験終了のチャイムが鳴った。どっと歓声が上がり、数日ぶりに教室中にゆるんだ空気が育まれる。テストが終わったときの、この感じは格別だ。さて、部室に行って着替えるか、と思っていると、試験監督を務めていた数学の宮出が近づいてきた。

宿題を忘れた生徒を順に前に立たせて、出席簿を縦にして殴ることを生きがいにしている陰気な教師だった。彼は理数系が文系よりも優れていると信じる優生思想の持ち主で、とくに文系の生徒を殴るときにはそのスナップの速さを高め、痛がる顔を眺めてはよくこういっていた。

「いいかあ、数学はな、必ずひとつの答えに行き着くんだ。だからこそ能力を適切に測れるんだぞ。」

こぼれる汚らしい笑顔を薄汚れた黄色い前歯が彩る時、生理的嫌悪というものを人生ではじめて学んだ気がする。

近づいてきた宮出は、しかし、いつものサディスティックで下品な笑顔ではなく、例えるなら苦虫を苦虫だと知りながら口の中に放り込んでしまった者がするような、見たこともない表情を顔に浮かべていた。そしてぼくと寺田に、このあと教員室に来るように命じた。

教員室に向かうと、ぼくと寺田は完全にわけられ、それぞれ準備室という名前のそれまで足を踏み入れたこともなければ、用途についても説明されたことのない部屋に入れられた。この学園は鳥瞰図で見ると二本足のYノ字型とでもいうべき形状を持った校舎から成っていて、この教員準備室は二本足のまたのあたりに位置していた。天井に届くほどの窓がはめこまれ、さんさんと光が入り込む教室や廊下とは異なり、その又の位置は常に日陰になっており、そばを通ると夏でもひやりとした冷気が足元を襲った。

そんな場所に位置する準備室の中に入る。その時点で、形容しがたいいやな感じがあった。中には五人ほどが入ればいっぱいになってしまう空間に、テーブルと椅子が四つ並んでいる。宮出はぼくを下座に座らせ、しばらく待つようにいったあとゆっくりと退室した。冷たくじめじめとした空気の中、ぼくはひとりになった。

想像するかぎり、どうやらもっともシリアスなシナリオが選ばれたらしい。どこでバレたんだ？　退学の二文字が頭の中をかけめぐって、最初に浮かんだのは両親の顔だった。まずい……完全に、これはまずいぞ……。どうやって切り抜けられるのか、ひとまず落ち着くことが大切だと思って部屋の中を見回すと、殺風景な中に唯一置かれているのが、磔刑に処されたキリストのオブジェだった。この手の十字架には様々なスタイルがあるが、ここにあるは手のひらに打ち込まれた杭と、兵士・ロンギヌスの持つ槍で突かれた脇腹から鮮やかな朱色の血が流れ落ちていく様をそのまま描いた、リアルなタイプだった。それがおそらくこれからこの部屋にやってくる、担任の教師が座るだろう位置の背後に置いてある。その意図的な配置と、そこに置いた者の意図を想像すると恐怖に似た感情が身体を走りはじめた。ここは完全に忌み地だ。

しばらくしてやってきたのは、担任の伊藤だった。彼は開口一番、シンプルにこういった。

「お前、なんでここに連れてこられたかわかるよな？」

「いえ、わかりません」

「それ本気でいってるのか？」

「……はい」

「じゃあ、ちゃんと教えてやろう。お前、寺田と共謀してカンニング、やったよな？」

ぼくは出方を考えた。自分の普段のクラスでのキャラクターを思い出し、それを客観的にとらえ直した。ぼくって、どんな生徒だったんだろうか。絶望的な状態で脳は、あいまいな精度でくるくるまわった。そこから導き出されたのは、「たまにお調子者の野球部員」だった。

「え〜、先生それマジでいってますぅ？　やってないっスよ〜。てか、早く部活行かせてくださいよ〜」

「……」

「だるいっすよ、もういいすか？」

「じゃあ、お前これ見てみろ」

そういって差し出されたのはぼくの数学の解答用紙で、黙って眺めてみる。なんてことはない、さっき書き終えたばかりのものだ。

「ここの証明問題だけどな、解けてはいるらしいんだよな。ただ宮出先生いわく、かなり個性的な解答らしい。そもそもこの問題に適した公式を使っていないしな。寺田の解答も同じだったそうだ」

「先生それが証拠ってわけですか？　偶然ってこともあるでしょう？」

「これだけならな、可能性としてはある。ただな、お前ここで誤字をしているんだよな。それでこっちが寺田の解答用紙だ。」

伊藤はゆっくりともう一枚紙を取り出し、並べるように机の上に置いた。

「ちょっと先生は席を外すけど、お前、これ並べて見比べてみろよ」

いやな汗がつーっとパーカーの下に着込んだインナーのすきまを通っていくのがわかった。それでも目は自然と解答用紙に向かっていく。寺田は完全にドジを踏んでいた。

ぼくの誤字をそのままに写していたどころか、証明問題の改行位置まですべて同じ。計算問題にしても、ぼくとまったく同じ凡ミスをしていた。窮地に追い込まれた人間は、何をするかわからない。藁にもすがった結果、あいつは写した部分の中にオリジナルの解答を混ぜ込んで偽装するという工作すら忘れ、ただひたすらにぼくの解答を機械的トレースしていたのだ。

ことあるたびに「Oops!」を連発するネイティブの英会話教師の口癖が、なぜだか急に思い出された。おいおいおい、いよいよまずいだろ。ウップスどころかジーザスで、言い逃れを貫徹させるだけの余地がもう残っている気がしなかった。この分なら数学だけでなく、どの教科でも同じようなことが起こっているのだろう。じゃあどうする？

それからはグッドコップ・バッドコップさながらの尋問が繰り返された。もちろん寺田と会うことは許されない。「警官」たちは交代でぼくと寺田が軟禁された部屋を行き来して、それぞれのやり方でぼくらを誘導しようとした。そして所詮中学三年でしかないぼくは、その手腕に翻弄された。

まずやってきたバッドコップは、ぼくを婉曲的に恫喝した。これだけ証拠が揃ってるんだぞ、吐けよ。親御さんが悲しむぞ。野球部の顧問の先生は、このことどう思うだろうなあ。ってかお前、認めないで進学できると思ってるのか？　次にグッドコップがやってきた。だいぶ絞られたみたいだなあ、大丈夫か？　お前も災難だったなあ、試験最終日だし早く部活に行きたいだろう。でも優しさからやったんだろ？　認めた方がお互いに楽なんじゃないか。

そんなことが何ターン繰り返されたのだろう。気がつけば一時間は経過していた。ぼくはひたすら完黙を通していた。それは戦略的撤退ではなく、もう切れるカードがなかったからだ。最後にグッドコップがやってきて「なあ武田、寺田は認めたぞ」といった。それでもぼくには返す言葉はなかった。これは誘導なんじゃないか？　寺田はそんなふうに認めたり、友人を売ったりするやつなんかじゃないぞ。なんたってあいつは二十センチオーバーの男なんだ。先生は知らないだろ？　そう思いながら、寺田のことを想像した。同じような部屋に押し込まれて、気弱なあいつがたまにする眉尻をハの字型に下げた悲しそうな顔がイメージされた。高い背を小さく丸めて、寺田はもうほとんど泣きかけていた。そこにバッドコップの終わらない恫喝が続く。寺田はずっと下を向いたままだ。

次第にぼくは歪んだ正義感と、それがもたらす怒りにとらわれはじめた。こんなやり方よくないだろう。そもそもぼくたちは、成績なんていうよくわからない指標でわけられたくないから、一緒に進んでいきたかったら、苦肉の策でこんなことをしたまでだ。それを陰湿なやり方で、大人がティーンネイジャーを追い込んでいくなんて、許しがたい。その間じゅう、視覚にはずっと磔刑に処されたキリスト像が目に入っていた。そこでやっと気がつく。ここはある種の懺悔室としてつくられた場所なんだと。

三時間弱が経過して、やっとぼくらは解放された。寺田は例のハの字眉でこちらを一瞥すると、口だけで「ごめん」といって歩いていった。ぼくはざわめく胸と頭を無視して、部活に向かった。アップとキャッチボールとノックがとうの昔に終わっていて、実践型のシートバッティングも中頃といった状態だった。全員が関わりにくそうにしながら、「とりあえずアップ行って来いよ」といってくれた。

不思議なことにその後教師から呼び出されたり、何か特別な対話を持ちかけられることは一切なかった。緊張状態は徐々に弛緩していき、ずっと頭の中を支配していた寺田のことは、春休みになり、毎日の長距離ランニングやインターバルランなどの厳しい練習のおかげで次第に薄まっていった。


四月。

ぼくらは百九十八名の同級生とともに、高校に進学した。寺田の姿はそこにはなかった。さらにもう一名が何らかの理由で高校に上がらなかったため、ぼくらは久々に二百名を切る学年ということになった。ぼくは抑えられないイライラとともに新学期をスタートさせた。

　その後聞いた噂では、寺田は公立の比較的入りやすい学校になんとか進んだということだった。そうかといって、噂を伝えてくれたやつに礼をいった。何がぼくらを分けてしまったのか。それはよくわからないまま、歪んだ正義感だけが胸の奥でその熱を失わずに燃えていた。寺田はあの日、認めてしまったのだろうか。だとしたら、何でぼくだけお咎めなしとなったのだろうか。うそはそれをうそだと認めなければ、現実の中で真実になる。真実になってしまえば、誰も傷つけることはない。だとしたら、この結末は、うそが招いたなんだのだろうか。心は血まみれのままだった。

　寺田とはあの日以来会っていない。これからも会うことはないだろう。ただ、あの準備室にあったキリストの脇腹からこぼれる血の朱だけを、今も鮮明を覚えている。

料金受取人払郵便

玉川局
承認
2290

差出有効期限
令和７年11月
９日まで

郵便はがき

1 5 8 - 8 7 9 0

東京都世田谷区奥沢
1-57-12 シャリオ自由が丘202

株式会社 rn press
読者はがき係 行

お買い上げになった
本のタイトル

お名前　　　　　　年齢

ご住所

ご職業

e-mail

メールマガジン登録ご希望の方は
チェックを入れてください

□希望します　□希望しません

※ご記入いただいた情報は、今後の出版企画の参考として以外は使用いたしません。

どこで購入しましたか？

購入のきっかけを
教えてください！

ご感想を自由にご記入ください！

最近流行っているコト・モノ・ヒトを
教えてください

好きな作家・漫画家がいれば
教えてください

この度はご購入いただき、ありがとうございました！

グッド・モーニング

佐々木充彦

ゴォ。。。
うわー大きい！
あっ⁉
あのビル…⁉
ガッ
ドオン

ゴオオ
テロリストめ…!
オオオ
あ
あれは…!
キャアアアアッ
ドッ

ゴッ
あ
駅が…
ヤツらに…

これが私の嘘だ
おはよう…

おわり

嘘

新見 直

嘘には二種類ある。人を傷つける嘘と、人を楽しませる嘘と……みたいな世界を単純化する言い回しをする人間のことは絶対に信用しない方がいい。どんな嘘だろうと嘘は嘘だ。

嘘はだせえ。嘘つくやつもだせえ。

そう思っているにも関わらず、俺は根っからの嘘つきだった。

＊

嘘はださい。俺にそう思わせるようになったのは「姉さん」の存在が大きい。そして、俺が人生で最大の嘘をついた相手も彼女だった。

年の離れた実の姉とはほぼ接点がなく、血が繋がっていないにも関わらず兄妹と言うべき存在は、姉同然の幼馴染である「姉さん」だけだった。自分の家庭環境についてごく親しい人間をのぞいて人に話したことがないのだが、彼女の話をするには、どうしても自分の生い立ちを振り返らなければいけない。

両親は出張が多く、姉はすでに結婚して旦那さんと住んでいたため、世間的に見ると俺はいわゆる鍵っ子だった。ただし一人で寂しいと感じたことはただの一度もなかった。これは強がりでもなんでもなく、実際一人じゃなかったからだ。

月の半分以上、というか体感的には八割ほどは、我が家に俺以外の息遣いが聞こえることはなかった。両親が俺を放置していてもさほど気にしなかったのは、根っからの放任主義というのももちろんあるが、近所付き合いが大きかった。それぞれ隣同士の広島と山口で生まれ育ち、どちらも敬虔なクリスチャンとして東京の教会で出会った二人が十代で結婚して、東京と埼玉の県境にある東村山に根を張ったのは俺が生まれる二十数年前のこと。近隣住民とは長い付き合いになる。詳細は伏せるが当時は両親のどちらとも、日本全国に留まらず時には海外をも転々とする必要がある仕事柄だったため、幼い息子を連れ回すわけにもいかなかった。仕事のことを考えれば都心に家を構えるべきだったろうが、むしろ二人は子育てのことをあらかじめ想定した上で、地元意識の強い東京の片隅にわざわざ家を構え、近所付き合いに精を出していたような節がある。一度、母がそう白状したことがある。特に、同じくクリスチャンで、近所の教会仲間だった四軒先のH家とは、ほとんど家族ぐるみの付き合いだった。

夫婦に娘が一人、三人家族のH家。

どれくらい家族ぐるみだったかと言うと、俺が毎日「行ってきます」と出て行き、「ただいま」と帰ってくる家はH家だった。H家には俺の部屋とベッドがあり、朝昼晩は四人分が用意されていて、俺のことを怒るのも褒めるのもH家の父と母だった。

そもそも両親がいない大半の衣食住の俺の世話はH家がすべてしてくれていた。信じられないだろうが、食費と学費を除いて、金銭の授受はいまだに一切ないと双方が証言している。実はこの経緯について俺はほとんど情報を持っていない。なぜ彼らが俺を選んでくれたのかもよく知らない。

その生活は俺が保育園の頃から始まっていた。保育園に迎えに来てくれるのはH家で、その頃からもう血の繋がりとかはどうでもよくて、新見家とH家は家族そのものだった。

俺にとって、父と母はH家の二人で、月に数回顔を合わす実の両親がむしろ第二の父と母。だから俺の姉は、二個上にあたるH家の一人娘で、実の姉に至ってはほぼ赤の他人だった。

幼い当時、H家の家族を「父さん」「母さん」「姉さん」と呼び、新見家の家族を「お父ちゃん」「お母ちゃん」「お姉ちゃん」と呼び分けていた（中学から後者の呼び方を「親父」「お袋」「姉貴」と改めている）。近所には非行児童の民間受け入れ先も点在し、それぞれの事情で親元から離れた子供たちを育てる大きな施設もあったため、地元や小学校では俺の奇妙な家庭環境さえ、それほど特別視されることはなかった。

俺も姉さんも物心つく前から兄妹のような扱いだったので、血が繋がっていないことを滅多に思い出すようなこともなかった。ふた家族に跨る存在だった俺のこの家庭環境自体は、この話には実はほとんど関係しない。

ややこしいことに、俺が大半を共に過ごしてきた家族であるH家は、（俺の存在を抜きにしても）いくつかの致命的な問題を抱えていた。

＊

父さんは、病的なほどの潔癖症だった。

とても繊細な神経を使う難しい職に就いていた彼は、仕事においては気難しい学者肌のような一面を持ち合わせながらも、人柄は豪快で、酒が入れば歌えや踊れやの愉快な側面を見せていたが、その実、内面はやはり至って生真面目で臆病な人間だった。

特に家庭内では、彼の弱さが一番よく表れていた。

まるで汚らわしい外界から自分の家庭だけでも守るかのように、外からの菌を嫌った父さんは、家に帰ると風呂に直行し、風呂場まで歩いた痕は母さんにアルコール除菌させた。

最も記憶に残っている父さんの背中は、角質が落ちて肌が真っ白になるほど延々と石鹸で手を洗い続ける場面だ。その潔癖さは家族全員に及んだ。家に帰ると、俺も姉さんも玄関で丸裸にされ、そのまま風呂場でシャワーを浴びるまでは絶対に家に入れなかった。どんなに急いでいても、例外なく。外に持ち出したおもちゃや勉強道具などは、一つ一つ母が除菌するまで家に持ち込めなかった。例えば、外出先の施設ではトイレを使わせてもらえなかった。じゃあどうしたかと言えば、汚い公衆便所より立ちションと野糞の方が清潔だという謎の理屈に基づいて、俺は必ず茂みで用を足さねばならなかった

(さすがにこのルールは母さんと姉さんには適用されなかった)。

一番記憶にあるのは、小学生の時。父さんと家に戻る途中、急な便意を催してなんとか家にたどり着いてもトイレより先に風呂に追い立てられ、間に合わなければこのまま風呂で用を足しなさいと言われ泣く泣く済ませた後、父さんが俺のうんこを石鹸で洗っているのを見た時、俺の頭は猛烈に混乱した。もしかしてこの人は単なる狂人なんじゃないか？ と大きな不安に襲われ、母さんに訴えても「そうね、おかしいね。でもあの人の気が済むようにやらせてあげるしかないの」と諭された。

潔癖にまつわるルールに始まり、家には大小の厳格なルールが存在した。食事の時にはテレビをつけてはいけない、無駄口を叩いてはいけない。食べ物の好き嫌いはいけない。言い訳をしてはいけない。嘘をついてはいけない。

小学校低学年まで、毎週日曜は俺も姉さんも、教会に連れていかれた。

神の存在なんて信じていなかった。その上、小学校ではあまりに落ち着きがないからと椅子に縛り付けられたこともあるほどだった俺にとって、聖書を通した説教の時間は苦痛で仕方なかった。それでもなぜ六年ほど通い続けられたかというと、教会が終わるとマックに連れて行ってもらえ、その後で運がよければ図書館に連れていってもらえたからだ。喜びを得るためには代償を払わなければならない。

姉さんには図書館は魅力的に映らなかったようで早々に教会にも来なくなったが、俺はマックと図書館のためだけに、クリスチャンのフリを続けながら耐え忍んだ。母さんだけの時はだいたい大目に見てもらえたが、父さんには完璧に遂行しているように見せなければいけなかった。〝いけなかった〟理由は単純で、父さんは、自分の気に入らないことがあると怒り狂い、怒鳴り散らし、暴力を振るうか、今の社会ではとても許されないだろう厳しい罰を俺たちに与えたからだ。特に酒が入ってると理屈や理性は吹き飛んで、必ずしも誰かが言い付けを破ったわけでもなくとも、人間性をかなぐり捨てて獣のようになることがしばしばあった。家の規律はその日の父さんの気分によって大きく変動した。

その現状について当時、俺は新見家の親父やお袋に言うことができなかった。薄々感づいていたみたいだが、記憶にある限り、彼らが介入するようなことはほとんどなかった。その是非については語らないが、彼らはH家の人間を、その未熟さや歪さをも含めて心から愛し、信頼もしていた。

父さんは悪人ではない。それは俺も保証する。ただ、家族を大事に思うがあまり病的に潔癖になっていき、そしてそれとは別に、彼という人間が抱える孤独と暴力性を彼自身が持て余して苦しみ、同時に家族を傷つけてもいた。彼がそうなるに至ったルーツの一端を俺は知っているがそれはここには書かない。

姉さんは、感情が爆発すると自分ではどうにも歯止めがかけられず獣のように暴れる父さんの気性を強く受け継いでいた。自分の思い通りにいかない事に直面するたびに泣き暴れ、そして結果的に、多くの場合自分の我を通してきた。

我が家（H家）では、男が女に手を出すことは厳禁だった。何か争いが起きて姉さんが俺に暴力をふるっても、俺がやり返そうものならあとで父さんの厳罰が待ち構えていた。俺は、父さんの制裁と姉さんの暴力を天秤にかけて、結局痛い思いをするのであれば姉さんに殴られる方がずっとましだと気付いてからは、とにかく黙って耐えることを覚えた。

明らかに姉さんに非があっても、姉さんは大人に見つかった時、必ず事実を捻じ曲げた。曰く、俺から手を出した。俺から挑発した。俺から酷いことを言ったと。俺が悪いこともなかったわけではないが、俺自身は起こったことをありのまま説明することを心がけたし、他にも当事者がいてもなお、絶対に姉さんは自分の非を認めるようなことはしなかった。

　事実を貫こうとすると、俺と姉さんの主張は常に平行線を辿り埒があかず、数時間でも半日でも騒動は延々と続いた。姉さんはこと怒りの感情においてはエネルギーの塊で、自分が納得する結末を掴むまで折れることはない不屈の精神を持っていた。

　俺が折れるのが先だったか、母さんが俺をなだめるようになったのが先だったか今では判然としないが、その環境に疲弊した我が家では、騒動を収束するために暴力に耐えるばかりか、俺が謝り、母さんも（本当は事実ではないとわかってるけど）俺が悪いということで手を打つのが常になっていった。

　表面的な平穏を得るために、全員で事実とは乖離した嘘を（表面的には）据えるのが当たり前になっていった。彼女には嘘をついている自覚がなく、現実認識自体が歪んでいるのだということもなんとなくわかっていた。

　そもそも暴れ馬のような父さんと結婚したことからもわかる通り、母さんは聖書に出てくる聖人のごとく心の広い優しい人で、いつも割りを食っている俺をやはり不憫に思っていた。そして子供とは敏感なもので、そういう心の機微はすぐ察してしまう。皮肉なことに、俺が姉さんを立てようとすることで母さんは俺を不憫に思い、その結果、姉さんは〝母さんが俺を贔屓している〟という思いに囚われ、さらに強く俺に当たった。父さんは父さんで逆に、自分の気性を受け継いだ姉さんのことを誰よりも気にかけていたため、その愛情の裏返しとして姉さんは俺以上に父さんに殴られることが多かった（父さんがしつけとして女性である姉さんを殴るのは我が家のルールではアリだった）。激しい性格の姉さんは父さんともぶつかることが多く、どんな些細なことでも自分の言い分を貫き通すため余計に制裁はエスカレートしがちだった。どんなに殴られても自分の言い分を譲らない彼女のことを、俺は怖いとさえ思った。

幼少期から小学生まで、絶対権力としての父さんが君臨し、苛烈な姉さんに頭が上がらなかった俺は、その鬱憤を外で晴らすという典型的であるがゆえに面白みに欠ける、幼稚でみっともない人間だった。もともと感情的な方ではなかったが、ストレス発散のためにあえて感情的に振る舞う、粗暴な子供時代をおくった。この頃から、もはや親父かお袋が新見家に戻ってきても俺がそちらに戻ることはほとんどなくなり、実質的にもH家の家庭がすべてだった。

＊

姉さんは俺とは逆に、外ではどちらかと言うと引っ込み思案で、学校では男子にからかわれるような存在だった。姉さんに一番ちょっかいを出していた男を俺は知っているが、姉さんは人気者だったらしく、彼を含めて好意を寄せていた男子もちらほらいたようだ。しかしそのことを偶然会った彼に聞いたのはずっと後になってからのことで、その時にはもうすべてが手遅れだった。

姉さんの現実認識は客観性を著しく欠いていた。当時の姉さんにとって自分はクラスで〝いじめ〟られていて、友達関係が上手くいっていなかった。そのことが大きくプライドを傷つけ、次第に学校を休みがちになり、中学にあがってからはいよいよ完全に家に引きこもるようになった。

俺も同じ学校だったとは言え学年も違うため、事実がどうだったのかは知り得ない。当の本人がそう感じたならそれはいじめだが、どこまでも自分の解釈で出来事を歪めてしまう彼女の話を俺（やおそらく家族）は信じ切れなかった。そしてそれがさらに彼女を傷つけた。

姉さんは家から一歩も外へ出ず、家族ともほとんど口を効かなくなった。姉さんが引きこもりはじめたのと同時期、反対に父さんが少しずつだが確実に穏やかになっていった。愛情表現を誤ったことへの罪悪感が膨らみ始めていた。

俺はと言えば中学に入ってからは外にいる時間が増え、新見家はもちろんH家を含めてその三年間の家庭での思い出はあまりない。

転機は高校に入学することを決めた時だ。学費は新見の親父たちが払ってくれるということで一度話し合いを持ったが、その時にはじめて、H家の現状をありのままに伝えた。

二人がどんな反応だったかあまり記憶に残っていないが、家族なのだから力になってあげなさいというようなことを言われた気がする。「二人も家族じゃないのか？　俺だけが新見家とH家のかすがいだったのか？」という強烈な違和感を持ったことは覚えている。

もともと感情の起伏が強く出る方ではなかったことに加え、中学では父さん姉さんへの反動でなるべく強い感情が表に発露しないように抑え込んできたこともあってか、日常生活で心に波が立つことさえ少なくなっていき、小学校とはうってかわって無感情な状態が続いていた。こんなにもコロコロと振る舞いが極端に移り変わる俺も、周囲からはやや変人扱いされていた。

我ながらとても凡庸な感性だと恥ずかしくなるが、生きるのが退屈だった。成人するまでとても、この退屈さと向き合うのは無理な気がしていた。かと言って死ぬ勇気もなく、ただ不感症の精神と若い肉体を持て余した。どんなに強い刺激や快楽を求めても、すぐに飽きてしまった。

直接的なきっかけは覚えていない。何か劇的な出会いがあったわけでもない。ただ一つ、物語だけは感情の窓を開けてくれる糸口だった。小説や漫画、ゲーム、映画……なんでも貪った。以前は全く気付かなかったのだが、幸福なことに新見家は求める人間にとっては宝の山で、誰にも邪魔されない巨大なライブラリーとして自分にとって新たな意味を持つようになった。

冷徹な物言いになるが、親父とお袋が俺に与えてくれたものの中で唯一価値があったのは、H家とこの宝たちだけだった。特に三島由紀夫の端正で豪奢な文体と、それと裏腹にとても器が小さく臆病な世界観には惹かれるものがあった。彼の作品は、どこか父さんに似ていた。

ものを生み出す人間になりたいと思ったことはただの一度もなかったが、「エンターテインメント」というものをその頃から意識するようになった。感動の乏しかった日常も、視点を変えればいかようにも光り輝く。

もともと根っから軽薄な人間だったため、起こったことを面白おかしく〝盛る〟ようなことはあったのだけど、より意識的に、ありのままを伝えてつまらないより、多少脚色していても面白い方が、現実に対しても真摯なんじゃないかと考えるようになった。

はじめは多分、現実逃避だった。

家庭に目を向ければ終わりなく繰り返される、暴力的でありふれた日常が延々と続いていることへの、復讐だった。

何かを語り直すことで、つまらない現実にも救いをもたらすことができるんじゃないか。本気でそう考えた。嘘に苦しめられ続けてきた俺が、嘘によって、延々と続く地獄を転覆させられるのじゃないか。

しかし実際は、それは不可能だった。これまで自分の生い立ちをネタとしてほとんど誰にも語ったことがないことが、その敗北の何よりの証だ。どう捉えようと、どう語ろうと、事実は事実で、起こったことをなかったことにはできない。

＊

高校にはいって東村山から片足を出してそれまでの仲間以外との付き合いが始まり、多くのものに触れ、自分の感情の持っていき方もだんだんわかって分別がついてきた頃、ようやく再び家族に目を向ける余裕が出てくるようになった。

姉さんはさらに苦しみを募らせ、家でもひどく暴れるようになり始めた。女児の頃ならいざ知らず、女性であっても成人近い人間が埋性のタガを外して本気で暴れた時の力は凄まじい。家具を破壊し、壁を切り裂き、本を破り散らし、包丁を振り回し、座敷に火を放ち、ありとあらゆる暴挙を重ねた。警察や救急車が数え切れないほど出動した。

最早その頃には、我が家にあったルールというルールが失われていた。曲がりなりにも規律と倫理が存在した、父さんが君臨していた昔が懐かしくさえあった。恐怖に身がすくむあの日々を懐古する日が来ようとは夢にも思っていなかった。父さんと母さんは憔悴し、父さんは時には自分も再び獣となって姉さんと対峙し、母さんも姉さんと刺し違えて死ぬ覚悟で何度も臨んだ。

およそ考え得る限り、あらゆる手を打った。警察に相談し、医者に相談し、時には病院や施設で姉さんを強制的に保護してもらい、姉さんに殴られ姉さんを殴り、いつも一番の標的にされた母さんを連れ出しては新見家やホテルに逃げ込んだ。笑えることに、神に祈りに独り教会に通ったこともあった。占い師に縋ったことさえある。

新見家との繋がりはますます希薄になった。高校の三年間、親父たちと顔をあわせた記憶がない。

時間は解決してくれない。日々は流れていくが、負の感情は拡散されることなく澱のように堆積していく。

刃傷沙汰の末、家族が慟哭しながら、何度も小規模なカタストロフィーを迎えるも終わりがなく、今日と同じ明日が続くことがやるせなかった。現実はフィクションと違って、手頃な大団円を迎えたつもりが、その先も同じことが幾度も幾度も繰り返される。

いっそすべてを終わらせようと俺が考えた回数の何十倍何百倍、両親は瀬戸際で踏みとどまっていた。もちろん、誰よりも苦しみ、そう望んだのは他ならぬ姉さん本人だった。生まれたことを呪い、産んだ両親を罵り、自分から両親の愛を奪った（実際は赤の他人の）弟を憎み、そんな自分をまた心から嫌悪し続けた。

何より、俺は無力だった。誰にも何もしてやれなかった。姉さんを助けて、支えてあげることが俺にはできなかった。父さんや母さんには、それでも揺るぎない娘への愛があった。俺はだんだんわからなくなっていた。

実質一人しかいない大切な兄妹には違いなかったが、父さんや母さんは子供を産むという選択を自分で選びとった結果だったが、俺が選びとって獲得したものはなく、すべて与えられたものだった。

この姉を愛せるのか、彼女のために何かをしてやれるのか。自分の問いかけに答えることもできなくなった。無力な自分を毎日突きつけられて、自分を信じることをいつしか諦めた。

＊

せめておまえくらいは大学に入学してくれと言い出したのは、父さんと母さんだった。それまでと決定的に違ったのは、「うちが金を出す」ときっぱり親父とお袋に宣言したことだった。結果、半分半分で学費を支払ってもらうことになった。

俺は大学に入りたいと思っていなかったけれど、両親（この場合はH家）のたっての頼みで進学したと周囲には吹聴しているが、それもすべてを話していないという意味で嘘だ。

学問に惹かれた。そこには規律と倫理があり、前進する意志があった。そして、目の前に広がる真っ暗な現実を少しでも先送りにしたかった。

勉強はやはり楽しかった。仲間もできた。アルバイトをしながら、家のことも気にかけながら、あっという間に四年が過ぎた。いよいよ向き合いたくなかった将来を決める必要があった。考えるまでもなく、無力な自分に何ができるわけもなかった。姉一人救えない人間に、社会に出て貢献できる立派な未来像を描けるはずがなかった。

そこで俺が自分を騙すために用意した言い訳はこうだ。俺は姉を救うことができない。だからせめて、代わりに俺ができる範囲で他の誰かに手を差し伸べるような仕事をして、社会をちょっとだけ幸せにしよう。それが巡り巡って、姉さんの助けになってくれることを祈って。明らかに破綻した、欺瞞だらけの動機だったが、自分を無理やりでも説得しなければその先一歩も踏み出せなかった。

無力な自分を認め、家から離れて社会に逃げ込んだあの日から十年。もう、右も左も知らなかった若造ではない。仲間と会社を立ち上げ、そのうち彼女と同棲し（今は別れたが）、曲がりなりにも社会人としてなんとかやってこれた。

誰かを幸せにはまだできていないけど、自分の信念の先に、それを実現できる未来があるはずだと信じてここまでやってきた。変われたかはわからないけど、空っぽな自分にも多少は中身が伴ってきたんじゃないか。少しはその自負もあった。

十年の間も全く平坦ではなかった。姉さんのこと、家のことについて父さんとどうしてもソリが合わず、口論の果てに大喧嘩して、「おまえはもう家族ではないから二度と俺の家の敷居を跨ぐな」と宣言され、母さんとの連絡も一切絶ち、三年ほど姉さんとだけ連絡をとり続けたこともあった。立て続けに親族の葬儀が続いた時に久しぶりに顔をあわせ、老け込んだ両親の顔を見て、申し訳ないやら自分が情けないやら。

それぞれの変化を遂げていたけれど、姉さんの苦しみは続いていた。その間、姉さんと一つだけ約束したことがあった。彼女が引きこもり始めてから二十年来の口癖は「死にたい」だった。いつ姉さんが命を絶っても不思議じゃなく、いつ両親のうちどちらかが彼女を殺して刑務所に入ってもおかしくない日々は、きっとその後の十年間も続いてきたんだろう。日常のすぐ隣に、足を踏み外してしまえばどこまでも落ちていく奈落が広がっているあの感覚。今度こそは、俺が肩代わりしてあげたかった。

二十六歳だった俺は、その日も泣きながら電話をかけてきて死にたい死にたいと唱え続ける姉さんにこう言った。

「自分で命を絶つくらいなら、俺が姉さんを殺してあげるよ。約束する。本当に自殺しそうになったら、俺が駆けつけて殺してあげるから必ず連絡して」

にっちもさっちもいかなくなった時、引導を渡すのは、三十年近くも彼女に寄り添い続けた父さんでも母さんでもなく、自分が救えなかった人の代わりに誰かを救うんだと自分に言い訳して家族から逃げ出した俺の役割なんじゃないかと思った。それにもう十分生きた。二十歳まで生きるつもりも目標もなかった自分が、もう二十六歳まで生きてきた。十分じゃないか。

それから二年後、その日はやはりやって来た。

彼女の呪詛を聞き続けた父さんも母さんも、その頃には精神を病み始めていた。慈しみにあふれ快活だった母さんが、暴れる姉さんを前に金切り声をあげて「おまえは悪魔だ」と罵るようになったのを初めて目にした時、終わりが近い予感はあった。父さんに諭され、母さんに慰められてどうにか生き延びてきた姉さんだったが、その均衡は破綻し始めていた。時間は解決してくれないどころか、肉体や、時には魂を蝕んでいく。長い歳月は、清らかな寛容さを濁った拒絶にかえることができる。

「もう限界だ。誰も私の味方になってくれない。私が一番苦しいのに、誰も私の苦しみをわかってくれない」

言っていることは錯乱状態に陥っている時のいつもと変わらず、しかし姉はこう続けた。

「殺してくれるって言ったよね？　今がその時だよ」

全身から血が抜けて身体が一瞬で冷たくなった気がした。それは、実際に姉さんを殺す情景を思い描いたから、ではない。

考えるより前に、答えはわかっていた。

なんて浅はかな約束をしてしまったんだろう。あの時あの瞬間はやれると思った。けれど、それは気休めにもならないただの言葉の飾りだった。

できなかった。会社を持ち、部下を持ち、多くの仲間や友達を持ち、大切な人を持った。今の俺にはできなかった。

でも、それも嘘かもしれない。何も持たなかったあの頃でも、人生を棒にふる極限の選択は、選べたことがない自分だ。最初から、誰かのために殺人者になるなんてことはできなかったのかもしれない。

俺のついた中で最も醜い嘘。十年経っても俺の愚かさは目減りしていなかった。

それは、ずっとそばで並走し続けてきた父さんと母さんを侮辱し、毎日想像を絶する精神状態で死を強く希求しながらも生き抜いてきた姉さんへの冒涜だった。

俺にとって、何が大事なのか。そのとき初めて、俺の欲望自身と向き合わなければいけなかった。俺は自分自身が大切で、ようやく自分の手で選んだものを、むざむざ手放すことができなかった。

何かを拾い集めてきたような気になっていたが、無力で空っぽな自分を満たしたのは、情けないことに、偽善と虚栄心と利己心でしかなかった。

できない。今の俺にはできない。そう答えた時の、姉さんの恨み節を忘れることができない。

＊

残念ながら、この話にオチは存在しない。

今もまだ刑務所に入っておらず仕事をしているということは、まだ約束を果たせないまま、嘘をつき続けて自分は生き永らえている。姉さんは今も父さん母さんに支えられながら、一進一退を繰り返しながら日々を繋いでいる。親父とお袋は、俺が都心に引っ越してから数年後、それぞれ現役から退いて東村山の実家についに落ち着くことになった。

一度、隣の児童自立支援施設が火事になって、近隣四棟に延焼し、新見家も半焼した。残ったもう半分は懸命な消火活動の賜物として水浸しになって、それですべてがおじゃんになってしまった。宝の山はすべてガラクタになった。それでもあの二人は一切めげる様子もなく、リフォームとばかりに新築に全精力を注ぎ、すぐに建て直してみせた。終わるはずだったかもしれない日常は今この瞬間も続いていて、あの頃終わりにしたかったこれからの日々を今現在として噛み締めながら生きている。

虚構には虚構でしか描けない真実がある。生きるためには必要な嘘があり、誰かを救う嘘もあるだろう。けれど、置き去りにされた事実は事実のまま、救われようもなくただそこにある。物語やフィクションの否定ではなく、ただ、そうであるというだけの話だ。

さて、最後に冒頭に戻ろう。

ありふれた手法で申し訳ないとさえ思っているが、もしここまで付き合ってくれた奇特な御仁がいれば、冒頭を思い出してほしい。

俺は根っからの嘘つきだった、というのは既に述べた通りだ。

では、根っからの嘘つきだという俺の話を信用するのであれば、この話もやはり嘘である。

もし、根っからの嘘つきであるというのが嘘だとするなら、冒頭から虚偽の記述で始まったこの話の信憑性はやはり地に堕ちる。

嘘はださい。

こっち
みないでねえ
それは
夏の夕暮れのことだった
sunflower
安永知澄

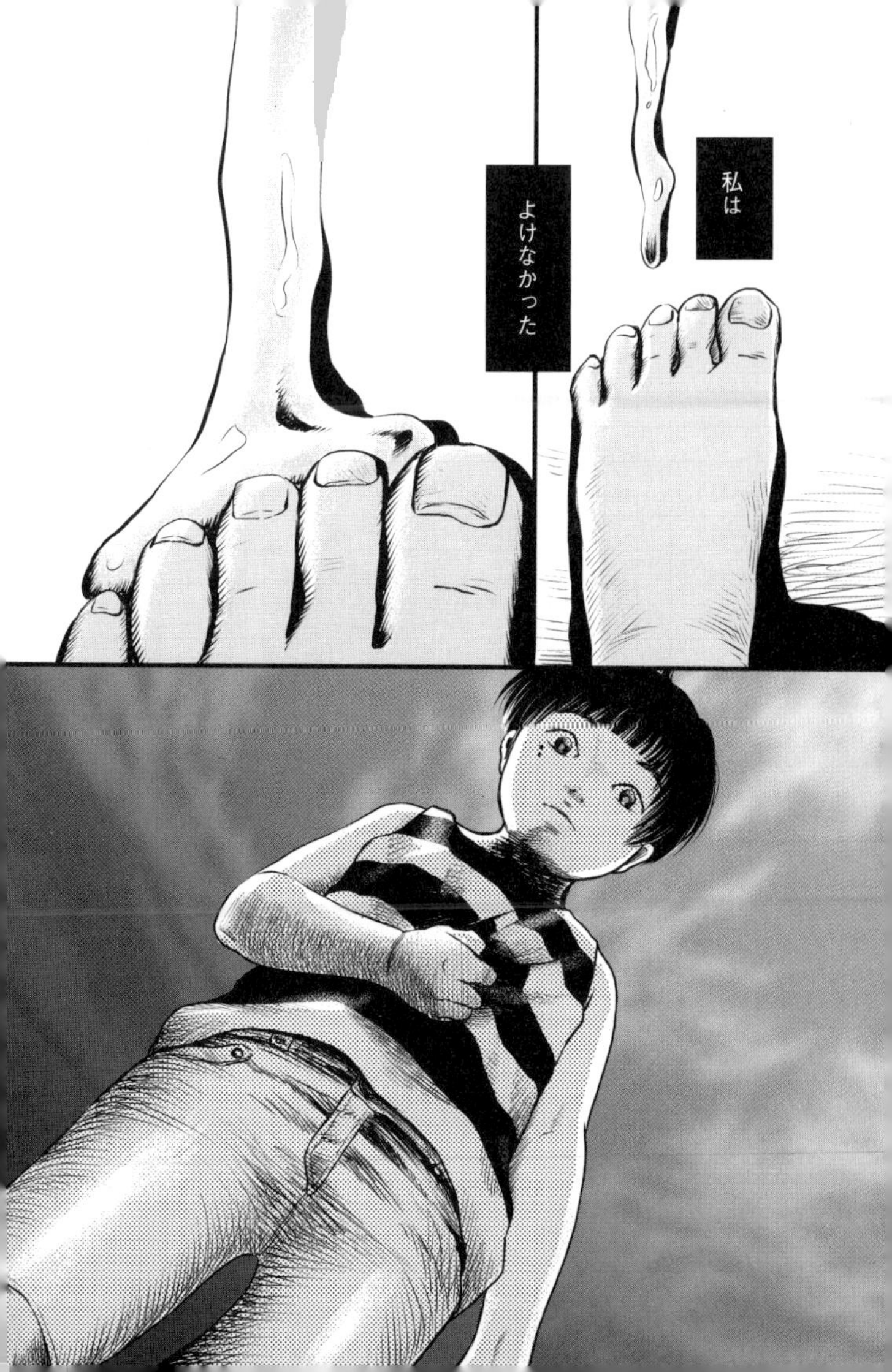
私は
よけなかった

その時知ったのだ
この世界の愛し方を

わたしは嘘をついたことが一度もない。

北尾修一

わたしは今まで嘘をついたことがない。

神に誓って言う、ほんとうに、一度も、ない。

もともと両親がカルト宗教にはまっていたので、小さい頃から「言葉は神様です、嘘をついた人は地獄に落ちます」と言われて育ってきた。そのせいで今も嘘がつけない。むしろ今でも正直に話せば何でも許されると思っているところがあって、親しい人たちからは「よくもまあ、ぬけぬけと」と怒られることがよくある。そんな感じだ。

だから、そんな自分が出版社に入ってすぐに、明け方の風花（文壇バー）で泥酔した先輩編集者に「バナナの叩き売りも出版も言葉でカネを稼いでいるという意味では同類で、編集者が文化的な仕事だと思ってるやつは大バカ。でも、香具師とおれらの最大の違いは、いざという時に自分の言葉に責任を持つかどうか、それがこの仕事の最大の肝なんだから、北尾も普段から誰に対しても、思っていないことは絶対に言わないクセをつけろ」と言われたことに、なんか因縁を感じている。

その先輩とは十年以上会っていないんだけど、このときのセリフが今もどこかに残っていて「良いと思っていないものをお金儲けのために良いと言うようになったら自分の信用は一気に失墜する」と潔癖症気味に思っているところがある。

そういうわけで、公私ともに人生で一度も嘘をついたことがないわたしなので、かわりにここでは「嘘はついてないけど今まで誰からも聞かれなかったのであえて言わなかった話」を初披露します。

以下、誰かがこう質問してきたつもりで、その回答を書く。

「人生で一番お金を遣った一日のことを教えてもらえますか？」

＊

二十八歳の冬の話だ。

土曜日の午後で、わたしは新宿歌舞伎町のライブハウスにいた。仕事上でつきあいのあるレコード会社のディレクターに「これから売り出そうと思うバンドがあって、たぶん北尾さんに気に入ってもらえると思うので、ぜひ観ていただきたい」と言われたので、その場にいた。そろそろステージが始まって一時間経つ。ステージ上のバンドマンが、大げさなバラード調のイントロに乗せて、九州訛りでこう言った。

「最後の曲は、自殺した地元の友人に捧げます」

　知らんがな。おまえの身に何があろうが音楽としてつまらないものはつまらない。

　終演後にメンバーを紹介されるのがしんどいので、そろそろ抜けようかなと思い、横にいるP子を見た。案の定、退屈なのが顔に出ている。

「もう行かない？」

「え？　挨拶しなくていいの？」

「むしろ終わると面倒だから、今のうちにこそっと出よう」

　地下のライブハウスから地上に出た途端、P子が手をつないできた。こちらも握りかえして「予定変更、時間いっぱいあるから今日は遊ぼう」と言うと、P子はにまーっと本当に嬉しそうに笑った。本当は編集部を抜け出してきたので戻らないといけないんだけど、その頃のわたしは時々いなくなる妖精だった。まだＬＩＮＥもスマホもない時代。たまにはこれくらいの息抜きがないとやっていられない。

さて、遊ぶと言っても今から何をしよう？

その頃、私は『クイクジパン』という雑誌の編集長をしていた。雑誌と言ってもコンビニで売ってないし、値段も千円近くするのに、この『クイクジパン』には熱狂的な読者が存在していた。で、その編集長という肩書と、あふれ出る才能と若さのおかげで、わたしは当時モテモテだった。

ここで話が脱線して申し訳ないが、ふと思いついたのでついでに書き記しておく。なぜ当時の『クイクジパン』が熱狂的な読者を獲得していたかというと、一言で言うと読者を信用していたからだと思う。毎号マーケティングゼロで、マニアックな音楽や、マンガや、演劇や、街ネタを、まったく無節操に、容赦なく、ただ「自分が面白いと思っている」というだけの理由でギュウギュウに詰め込んで雑誌にしていた。だから当然、文脈が分からない人にはまったく分からない代物なんだけど、それでも面白がってくれる人は必ずいて、そういう人たちは「編集部が手加減せずに自分と向き合ってくれている」「自分だけに話しかけてくれている」と思ってくれていた（その数、推定二万人前後いた)。つまり、まず作り手側が読者を100%信用すれば、その信用されたことが嬉しくて、読者も雑誌を100%信用してくれるようになる。そういう関係性のコミュニティを築くことが「雑誌作りの醍醐味」だと思っていた。で、わたしは現在、ひとり出版社を経営しているんだけれど、今もその時とまったく同じ姿勢で本を作っている。こちらが読者をなめなければ読者もこちらを信用してくれる。ひとり出版社なら、そういう読者が三千人いてくれれば十分食べていける。

野口さんごめん、書きたいこと書いたらすっきりした。閑話休題。そうそう、二十八歳の自分の話だった。

今から思い返しても、その頃はほとんど家に帰らなくて、夜ごと半分遊び&半分取材でいろいろなクラブに顔を出していたんだけど、そういう場所で出会う女の子たちは、わたしが『クイクジパン』の編集長だと分かるとぐぐっと近づいてきた。当時は土日も仕事をし、『クイクジパン』作る以外は趣味もなく、クルマやバイクを買うわけでもなく、海外旅行するわけでもなく、ちょっとした空き時間に嗜む飲酒とセックスくらいしか自分にとっては息抜きがなかった。ドラッグは、ケミカル方面に手を出して楽しいとは思ったけど、周囲の人たちほどはハマらなくてすぐにやめた。世間で言われている「一度やると人間やめなきゃいけなくなる」はデマで、日常生活を送りながら全然楽しめるものだと知れたことだけが良かった。その点、飲酒とセックスはドラッグと違って違法ではないし、明け方のクラブにいると酔って誘ってくる知り合いの女の子はたくさんいたし……そんな感じだった。

P子も当時のそんな相手のうちのひとりで、初めて会ったのは数か月前、フリッパーズギターの解散何周年記念かなんかのDJイベントだった。二十代半ばの男女が大半で、みんな顔見知りで和気あいあいとしているフロアの中で、ひとりでポツンとしていたので話しかけたら「十八歳」と言われたんだけど、ずいぶん大人っぽくて綺麗な顔をしてるなと思ったのと、それに反して両手に紙袋ふたつ持っていて中に着替えやら本やら食料やらが詰め込んであって、見るからに家出少女だったのがおかしくて、そのイベント中ずっと話していた。

聞けば、日本人なら誰でも知っている超有名企業の創業者の一人娘だという。横浜生まれの横浜育ち。生まれた時から裕福で、お手伝いさんが家に四人いたらしい。本人も小さい頃から成績優秀で、中学・高校とフェリス女学院に通っていた。が、十七歳の時に両親が離婚し、父親が家を出て行ってからおかしくなる。朝になっても布団から出られなくなり、母親と顔を合わせる度に大喧嘩。そのまま学校にまったく行かなくなり、ついに高校中退。母親のことは今でも好きだけれど、会うとどうしても口論になるので、ここ最近は一週間に一度、母親が仕事に出ている隙に着替えを取りに家に戻っているだけだという。住所不定無職のご令嬢。その頃の『クイクジパン』周辺には変わった読者がたくさんいたんだけど、P子もまたやっぱりちょっと変わっていた。

とりあえず近くの台湾料理屋に入って、窓際の席に陣取る。まだ早い時間だけど、空心菜の炒め物と皮蛋とビールを頼んで乾杯する。

P子は、さっきから、わたしも知っているライターにやられそうになった話を面白おかしく話し続けている。その男とはちょっと前に一度やったらしいんだけど、それはたまたまその時だけのことで、二回もやろうとするのは違くね？　という趣旨の話を、もともと頭の回転が早いからだろうけど、電気グルーヴのオールナイトニッポンばりのテンションで話すので、こちらもゲラゲラ笑いながら聞いていた。

そういえばこのP子には他にも武勇伝があって、よく分からないままロフトプラスワンのイベントに行った時のこと。あの場所は若い女性に説教したくてたまらない出版人の巣窟になっていて、自分は極力近づかないようにしていたんだけど、そこでP子は大御所オタク評論家にからまれたらしい。わたしが思うに、きっとその評論家はP子のことが好きで、でも性的欲求と攻撃欲の区別がつかない幼児性ゆえ意地悪していたんだと思う（よくいるタイプだ）。が、P子がそれを黙って流すわけがなく、突然テーブルにあったフォークを握ってそのオタク評論家の眉間に突き立て、他のお客全員が見ている前で「おまえ、私が今ここで裸になったらちんこ勃たせるくせに偉そうなこと言ってんじゃねえよブタが！」と大声で怒鳴ったらしい。その評論家は咄嗟に何も言い返せず、真っ赤な顔で黙ってしまったという。これは当時のロフトプラスワン界隈では有名なエピソードで、きっと今でも覚えている人は覚えているはずだ。

そんなP子がこの場では「ゆっくり会えて嬉しい」という表情を見せている、という猛獣使い的な優越感で、わたしはすっかりヘラヘラしていた。

が、そのとき、目の端に何か禍々しいオーラがよぎった。これっていつも不思議に思うんだけど、自分でもまだそれが何か分からないうちから無意識が警告してくるこの感じ。その時は窓の外、二十四時間サウナと隣の雑居ビルの隙間のあたりで、ホームレスが何か段ボールをごそごそやっていた。わたしの雰囲気が固くなったことにP子が気付いて「……何!?」と言う。よく目を凝らすと、ホームレスが段ボールにけっこうでかめの人形を突っ込んで捨てようとしている。が、違和感があるのはそのホームレスの動きが大変そうすぎる、つまりその人形が重たそうすぎることで……。

……あれ、人形じゃなくて子ども、死んでんじゃね？

ようやく意識がそれの何ごとかをつかんだ。遠目だけど確信したというかそれが「分かった」。段ボールに半分入れられた人形は目を開けていて、その目と目が合ったんだけど、こちらをじっと見ていた。たしかにヒトの目だった。

P子はわたしが見ている方角を見たけど、その隙間には焦点が合っていないようだった。わたしはあまりに動揺して何も言う気分にならなくて言葉を飲み込んだ。怖い。つかすげえ気持ち悪い。

「ちょっとトイレ行ってくるわ」

と言ってトイレに入る。酔ってないのに貧血で倒れそうで、おえーっと思って個室で吐いたら真っ赤な血だった。自分でもびっくりするくらいの量の血を吐いて、便器が真っ赤に染まった。吐いたら身体的気持ち悪さはだいぶ軽くなったんだけど、気分は最悪なままだ。本当は騒いで店の人に知らせるとか、警察に電話するとかしないといけないのは分かるけど、せっかくの息抜き時間を面倒ごとに使いたくない。そのうちどうせ誰かが通報するだろう。なんか気分転換に、めちゃくちゃなことがしたい。難しい言葉で言えば蕩尽？　そんな感じ。

トイレから出て、P子に「今から訳の分からないことしてみたいんだけど、思いつくことある？」と聞いた。P子は「え、ほんと？　じゃあ北尾さんに私の髪を切ってほしい！」と言い出した（P子のこういう反射神経の良さが、わたしはツボだったんだと思う）。

ビール飲み終えて、近くのコンビニで鋏を買う。せっかくだから場所にこだわりたいってことで、西武新宿線新宿駅の方に向かって、新宿プリンスホテル最上階に上がって、そこからスタッフ専用通路に潜り込んで、ビルの屋上にこっそり上がった。東京の冬は素晴らしいやね。この時の新宿の風景と冷たい空気は今でも覚えている。「あ、今のこの感じ、絶対忘れない」とその場で思っていたことも。で、肩に届くくらいあったP子の髪を、わたしは何も言わず、いきなりジャキッと十五センチくらいカットした。P子はビックリした後、「さすが北尾さんだー」と言って笑いだした。「いやいやいや、ちまちま切ってもよく分かんないし。こういうのはノリでやった方がいいと思うんだ」とか何とか言って、そのまま何も考えず即興で鋏を入れて、乱雑なベリーショートとしか形容しようがない髪型が完成し、結果、自分から見てもすごく良い感じに思えた。ホテル最上階に戻り、エレベーター前の鏡で確認したP子もすごく気に入ってくれたようで「ありがとー」て、むぎゅーと抱きついてくる。と、そこでポケットの携帯電話（ガラケー）が鳴った。

そう、この日は三月十五日だった。まさにこのタイミングで、わたしはフィッシュマンズ佐藤伸治氏が風邪で死んだことを知った。実はわたしが最初にこのニュースを知ったのは「仕事さぼって女の子の髪を切ってたとき」だったんだ。

何だこれ。今日は何だ。上がったら下がる、下がったら上がる、それを何度か繰り返して最後は死ぬ。そんなことは知ってるけど、それにしてもこの数時間の上がり下がり、極端すぎね？　わかった、今日は人生一度しかない特別な日だ。そして、そんな日にたまたま隣にP子がいるって面白すぎる。今日は行けるところまで行けってことだな。

と、当時のわたしなら考えるに決まってるわけで。

そこから後は怒涛の展開で、わたしは銀行のＡＴＭで百万円引き出し、当時使っていたヴィレッジヴァンガードで買ったボロボロの財布に突っ込む。で、そのまま「その髪型に似合う服、買ったる」と言って、携帯の電源切って、タクシー乗って表参道のPRADAへ。普段使いは絶対出来なさそうなネイビードレスとレザーミュールをP子に、自分には全面刺繍入りの黒長袖シャツを購入。その場で着替えて、今まで着ていた服はフロムファーストビルの便所に廃棄。じゃあこの恰好で何処行く？　とりあえず一番似合わなさそうな場所行くか、あ、そうだ、今日は横浜長者町のフライデーにクレイジーケンバンドが出る日だ、長者町の下品な雰囲気とこの恰好むしろ最高じゃんと盛り上がって、意味なく横浜までタクシーで高速使ってもらったりして。テンション上がりすぎてタクシーのバックシートでエロいこともかましつつ、長者町に着いたらすっかり暗くなってたんだけど、開演まで小一時間ほどあるからちょっと時間つぶそうかと「フライデー隣の龍鳳閣の揚げワンタンが美味いんよ」で入ったら、クレイジーケンバンドのメンバー一同がいきなりいて「社長笑、どうしたんすかその恰好！笑笑」とか笑、小指ピンと立てて「これっすか？　社長いいっすね〜！」とか笑、メンバーたちにさんざんいじられてそのまま一緒に紹興酒ボトル空けて良い気分になって、フライデーの楽屋にメンバーと一緒になだれ込んで、そのまま客席最前列でP子と大騒ぎして、やっぱりクレイジーケンバンドはいいなあ（特にアンコールの「大人のおもちゃ」が最高だった）昼間のあいつは何だ早くバンド解散してまともに働けとか言うてるうちに終演であっという間に深夜〇時半。客たちは近くの飲み屋で始発待つのが恒例だけど、今日はそれ違うよねーまたタクシーで東京に戻るのも芸ないしどうしようかって川沿い歩いてチヨンの間にいる外国人娼婦たちにちょっかい出してたら、そうだ！　出来たばかりの横浜グランドインターコンチ！　あそこ泊まってみない？　ギャー最高それ、てことになって、みなとみらいまでタクシー飛ばして夜中一時半過ぎにフロントで「あのー今部屋空いてます？」て言ったらさすがホテルマン嫌な顔ひとつせず「スイートなら空いてますがそれ以外の客室はあいにくですがすべてふさがっておりまして」ときた。今日の流れだとそりゃ行くっしょ、てことで眺め最高、バスタブ大理石にジャグジー付、部屋もリビング・ダイニング・ベッドルームめっちゃ広い、ルームサービスでシャンパンでしょここは、じゃあ今から朝までどちらがエロいこと思いつくか勝負しない？え、まじで、そんなん私が勝つに決まってんだけど、いやちょ待ったこっちだって負ける気しないんだけどつって、そこから後はとても活字には出来ないような変態悦楽猟奇魅惑の……でところでこの文章どこまで本当だと思う？（冒頭の一文を思い出してみてほしい）

＊

結局、その後もいろいろあって自宅に戻ったのは月曜朝だった。
家には誰もいない。誰もいなくてよかった。仕事復帰は明日からにしよう、今日は使い物にならない。と思って家のベッドにもぐる。毛布が気持ちいい。そういえばなんでホテルのベッドって毛布がないんだろう？　毛布って本当に気持ちがいいよなあ。とちょっとだけ思ったけど、わたしはそのまますぐ眠りに落ちた。

「わたしは今まで嘘をついたことが一度もない」

そんな感じっす。

165　わたしは嘘をついたことが一度もない。

あとがき

小学生のころ、雑誌の『プチバースデイ』のペンパル募集に応募して、大阪府箕面市の咲子ちゃんと二年くらい文通をしていた。

私は小さいころから手紙を書くのが好きで、『りぼん』の付録のレターセットや、たまに行く八木橋デパートで買ってもらうレターセットを集めては、初めは母へ、その次は祖母へと、たくさんの手紙を書いた。まだ見ぬ誰かへ向けて風船に手紙をくりつけて飛ばしたこともある。もちろん風船はすぐに割れて、近くの田んぼに落ちてしまう。それでも、いつもいつも手紙を書いていた。幼稚園にはほとんど通わなかった。「どうして通う必要があるの」と生意気を言いながら、本当はクラスの女の子たちとのコミュニケーションの仕方がわからなかったのだ。幼稚園で気の合わない子と話すよりも、切手を貼ればどこへでも飛んでいける手紙のほうが大好きだった。

『プチバースディ』は当時、誌面に文通希望者の住所を載せていて、私はその中で知り合った五人くらいと文通をしていた。そして文通相手はだんだんと淘汰されていき、感じの良さそうな咲子ちゃんだけが残り、二週間に一度くらい、手紙のやりとりを続けた。そして私は咲子ちゃんへの手紙に嘘を書いて書いて書きまくった。

ど田舎なのに大都会にいるふりをして、グランドピアノがあるどデカい家に住み、父はイケてる商社勤務で、母のピアノはプロ並み。手紙に書いてある私は、絵に描いたような幸せを、何の疑いもなく享受している小学生だった。それでも、私が私であることは伝えたかったから、たまに本当の学校生活のことも書いた。

たくさんの嘘と、少しの本当。うまく整合性を取りながら、バレないよう、文通が自然消滅する最後まで、私はイケてる関東の小学生を見事に演じ切った。バレない嘘は嘘ではない。これが小学生のころに学んだ一番の処世術だ。

先日、とある知り合いから「野口さんてサイコパスっぽいよね」と言われた。イベントの打ち上げで、担当している著者が涙を溜めながら辛い体験をとうとうと語るのを聞いているときに、笑顔で「面白い話ですね」と言ったからかもしれない。私は「共感できる」「わかる」なんていう無責任な言葉を軽はずみには言えない（ちなみに私の卒論のテーマはショーペンハウアーの「同情」についてだ）。家族でもない彼女に対して、私ができることは、それを面白いと気づかせて作品に描いてもらうことだ。それが私が彼女にできる唯一のことだ。心に傷を抱えている人は、平坦な人生を歩むよりもよっぽど楽しい。だからあのとき私は「面白い話ですね」と言った。嘘をつかずに向き合うために。

二年前、太田出版に戻る前に落合美砂と一緒に酒を飲んでいた。当時、別居をしていた私は、落合に「人生は攪乱要素があった方が楽しい」と言われた。

「私みたいに結婚もしないで六十歳近くなると、老後がヒマなのよ。結婚とか離婚とかして、あっちの親はどうしたとか、子どもがどうとか、そういうめんどくさそうなことがないと人生はつまらないのよ。私は攪乱要素をもっと増やせば良かった。だから、野口、離婚でもなんでもしなさいよ」

落合は泥酔していたので、きっと覚えていないだろう。相変わらず落合の言っていることはメチャクチャだが、不思議と私にのしかかっていた重石がとれた気がした。そう、私はこんなことを言う、女であることを隠そうとしない落合が大好きなのだ。おかげで、私はこのあとの未来が楽しみになった。父も母も四十代で亡くなったから、私は老いていく自分の顔が想像できずにいたのだけど、偏屈ばばあになって喚き散らしているであろう未来の自分の姿がふと想像できて、妙に可笑しくなった。

生きていくのは辛い。人生はいつでも葛藤だ。でもいまは人と話すのが楽しいし、仕事も面白いし、飯も酒も美味い。そう思えるうちは、まだ生きていていいのかなと思う。

さて、この辺でみなさんに謝辞を。

漫画家のみなさま、力作をありがとう。普段、自分の才能で勝負しているだけあり、今回はずいぶん助けられた。そして気がつくと、編集者ばかりが集まってしまった。なぜかと考えると、編集者は、日頃、嘘をついているからだと思う。薄ら笑いが上手な人ほど、笑えない嘘を抱えている。だから自然と、こういう人たちが集まってきてしまった。

執筆陣にはこの本の趣旨をたいして説明しなかった。それでも、みんな、面白いくらい曝け出してくれた。みんな、私がほしいものをすぐに察して、心の奥に沈んでいる柔らかい部分を、惜しげも無く原稿に落とし込んでくれた。原稿が届くたび、「うわ、これやべえな！」と思えるのは、本当に幸せなことだ。

予め言っておくが、今回の執筆陣は、嘘を告白したことで、これから聖人君子のように生きるわけではない。そりゃあ、こんなに嘘が上手な人たちだ、これからも巧妙な嘘をつき続けるに違いない。

これからも可笑しくて哀しい嘘をついていこう。きっと嘘は人生を豊かにしてくれるはずだ。

北尾さん、年吉、矢代、エレナ、武田くん、新見さん、岡藤さん、安永さん、佐々木さん、上田さん。そして、いつもうじうじしている私に喝を入れてくれるデザイナーの藤田さん。みんな、ありがとう。今後ともよろしく。

二〇一九年十月　「うそ」責任編集　野口理恵

寄稿者一覧

上田龍（うえだ・りゅう）
写真家。上田氏曰く「天気の良い昼間に露天風呂に入るのが好き」だそう。ダメな感じが素敵。東京でぜひお酒でも。

エレナ・トゥタッチコワ
アーティスト。最近は自転車で京都を駆け抜けている。今回の詩は「デトックス！」。また京都で。

岡藤真依（おかふじ・まい）
漫画家。今回のお話はシリーズ化してもっとたくさん描いてほしい。ボツにした「彼」もちゃんと読みたかった。

北尾修一（きたお・しゅういち）
百万年書房代表。編集者。岐路にはいつも北尾さんがいて「それはどうなの」とかイケてる助言をしてくれる。日々感謝。

佐々木充彦（ささき・みつひこ）
漫画家。私生活にツッコミどころが多いという点で、私に非常に近いものがある。また一緒にかっこいい本をつくりたい。

武田俊（たけだ・しゅん）
編集者。ラジオＤＪ。誰かを決して嫌な気持ちにはさせない才能の持ち主。今回の作品は実に武田くんらしい。

年吉聡太（としよし・そうた）
編集者。イケてる自分とそうでない自分の間で悩んでいる。自分に甘く他人に厳しい。よく喧嘩をするが信用している。

新見直（にいみ・なお）
KAI-YOU編集長。佇まいがかっこいい。勝手になんとなく似ている気がしていて、原稿を読んでなるほどと思う。

矢代真也（やしろ・しんや）
飛ぶ教室代表。編集者。不器用で思っていることがすぐ顔に出る。それがバレていないと思っているのが見ていて楽しい。

安永知澄（やすなが・ちすみ）
漫画家。心の奥にあるモヤモヤを、瑞々しく美しさに昇華して描ける素晴らしい漫画家さん。参加してくれて本当に嬉しい。

野口理恵（のぐち・りえ）
編集者。誰かの本棚にずっと残しておいてもらえるような本を作りたい。誰かの頭を鈍器でぶん殴るような文章を書きたい。

求ム！

「ＵＳＯ」はいかがだったでしょうか。
ちょうどいまマンションの更新時期で気が付いたのですが、いまの私は会社に所属していないわ、保証人もいないわで、引っ越すことすらできません。こういうときに社会的な後ろ盾というのが、大事なんだなと痛感します。

そんな情けのない私には、みなさまのご感想が一番の励みになります。「楽しかった！」という本ではないかもしれませんが、何らか、心に引っかかるところがありましたら、気兼ねなくメールください。

また、「こんな面白い嘘をついたことがあります」という方もお待ちしています。このあとも定期的に何かを作っていきますので、面白ければ二冊目に即掲載いたします。

メールはこちらまで！　☞　rn.uso2019@gmail.com

BOOK 1

USO うそ

二〇一九年十月十三日　第一刷発行
二〇二四年十一月二十二日　第四刷発行

写　真　上田 龍
デザイン　藤田裕美
発行人　野口理恵
発行所　rn press
東京都世田谷区奥沢一‐五七‐二‐二〇二
（電　話）〇七〇‐三七七一‐四八九四
（FAX）〇三‐六七〇〇‐一五九一
印刷所　NISSHA株式会社

ISBN978-4-910422-05-3　

求ム！

引き続き、

「こんな面白い嘘をついたことがあります」

という方、メールお待ちしています。

メールはこちらまで☜

rn.uso2019@gmail.com